いのちのハードル
「1リットルの涙」母の手記

木 藤 潮 香

幻冬舎文庫

いのちのハードル

「1リットルの涙」母の手記

はじめに

私の長女、亜也。

昭和三十七年七月十九日、誕生。

昭和六十三年五月二十三日午前〇時五十五分、二十五歳という若さで永眠。

花の一生にたとえるなら、堅いつぼみがようやくふくらみ、だんだん柔らかくなっていつ咲くのかと期待される、そんな一番夢のある中学三年の時、亜也は、脊髄小脳《せきずいしょうのう》変性症《へんせいしょう》という難病にとりつかれた。

この病気は、体の運動神経を支配している小脳・脊髄の病変によって、体を動かす諸機能に障害が起きるようになる。手や足を動かしたり、話したり、食べたりする機能が徐々に消失していき、最後には、呼吸運動の停止か衰弱による合併症のために、多くの場合、死亡する。

しかも、知能は発病前と変わりなく健全な働きをしているために、真綿で首を絞めつけられるように次々に起こってくる障害をいやおうなしに受けとめなければならない。

このように、非常に残酷な病気であるのに、現在の医学では、原因も治療法もまだ究明中の段階だということである。

亜也は、「わたしの人生は病気によって狭く細くなってしまったけれど、これが自分に与えられた道なら精いっぱい生きていこう。つらいこと、悲しいこと、悔しい思いも乗り越えていこう」と自分を励まし、次第に細くなっていくわが身に涙を流すそのたびに、心を強くしていった。

仲良しの友達、信頼を寄せていた医師、やさしい家政婦さんなど、いつもいい人と出会うことができた。亜也は、そういうたくさんの人たちに支えられ、ただひたすらに、自分の人生を見きわめながら、一日一日を大切に、与えられた生命を全《まっと》うしようと精いっぱい生き続けた。

亜也ちゃんの病気「脊髄小脳変性症」とは？

山本纊子《ひろこ》

人間の脳には約一四〇億の神経細胞とその十倍もの神経細胞を支持する細胞がある。それぞれの神経細胞は多くのグループに分けられ、運動する時に働くものもあれば、見たり聞いたり感じたりする時に働くものもあり、およそ人間が生きている間はたくさんのグループの神経細胞が活動していることになる。

脊髄小脳変性症はこれらの神経細胞グループのうち反射的に身体のバランスをとり、素速い滑《なめ》らかな運動をするのに必要な小脳・脳幹・脊髄の神経細胞が変化し、ついに消えていってしまう病気である。

（『1リットルの涙』より）

目次

亜也の手紙と詩・作文——いのちを見つめて

『1リットルの涙』について

中学三年の時、体の不調に気付き国立名古屋大学病院で診察を受け、脊髄小脳変性症とわかる。

昭和五十三年四月、将来を夢見て愛知県立豊橋東高校へ入学するも体の障害が進み、翌年、やむなく愛知県立岡崎養護学校へ転校。

昭和五十六年三月、卒業。在宅療養からやがて病院生活へ。

昭和六十一年二月、中学三年から書き続け、病状が進んでペンが持てなくなった二十一歳までの日記『1リットルの涙』を出版。

マスコミで大きく取り上げられ全国各地で大反響を呼ぶ。たちまちベストセラーに。現在もなお小学生からお年寄りまで幅広い層の共感を得て読み継がれている。

同年十一月、豊橋市民愛市憲章受章。

昭和六十三年二月、『涙一升愛無限』（頼阿幸・訳）というタイトルで中国語に翻訳出版される。

同年五月二十三日、容体が悪化……。

亜也の一日二十四時間のサイクルは、どんなに頑張っても、いろいろなことを人の半分もしていないのにとても忙しく、気持ちばかりがあせって、体がついていかない生活だった。

だから日記や作文を書きだすと、風呂に入ることも、本を読む時間もなくなってしまう。

でも、書くことは大好きで、生徒手帳の余白やチラシの裏などに不自由な手で懸命《けんめい》に書き綴《つづ》っていた。文字がひどく乱れ、自分しか読めないような字になっても、ペンを離そうとしなかった。

次の文章は、そんな亜也の日記や作文、友達や先生に宛てた手紙などである。亜也の心が伝わってくるようで、今も私の大切な宝物である。

＊

腕白《わんぱく》でもいい　たくましく育ってほしい　（丸大ハムのコマーシャル）
愚作《ぐさく》でもいい　たくましく自分を見つめよう　（亜也）

わたしは、自分の文を人に見られるのが恥ずかしい。だから、いつも日記調の一人よがりの文になってしまう。

自分の文を作るのはむずかしい。

「苦しみを突きぬけて歓喜《かんき》にいたれ」

ベートーベンさん、わたしも頑張るね。

お母さんへ　＊母の誕生日に書いた手紙（19歳）

わたしは、大きい人間になりたい。

すべての罪をゆるせる人でありたい。

四十五歳の誕生日、おめでとう。

心の中にいつも私を信じてくれているお母さんがいる。

だから、自分を信じて行動できるんだってわかったの。

「障害」を背負ってかなりまいっているけれど頑張るわ。お母さんの子だもん。

お母さん、これからもよろしくお願いします。

心配ばかりかけちゃってごめんね。

お母さんの後光《ごこう》が見えてきたような気がするんです。

病院であんなにたくさんの友人ができたのも、お母さんのおかげです。

お母さんのまねをして、挨拶《あいさつ》をしっかりしたからです。

「おはよう」

「ありがとう」

「さようなら」

お部屋を出る時は「○○まで行ってきます」。

帰ったら「ただいま」。

そして、いつも笑顔を忘れないでいました。

お母さんの誕生日にあたって、わたしは反省しています。

これまで言葉たらずだったね。

その代わりお母さんには甘えてしまい涙がよくでました。

弟や妹もだんだん大人になります。

この上、わたし一人が立ちおくれて、イジイジへたばっていてはいけない。

思うように動かない自分の体をわかっていながらも、はっきり「できない」と言えず、みんなにいやな思いをさせてしまった。

これからは、もっと態度をあらためていこうと思うの。

お母さん。

なるべく、なるべく長生きしてね。

わたしの幸せな姿、生きている姿を見せてあげたいから……。

苦しんで苦しみぬけば、きっとその向こうには、虹色の幸せが待っているよね。

そう信じましょう。

じゃあ、おやすみなさい。お母さん。

山本纊子《ひろこ》先生へ　＊月に一度藤田保健衛生大学へ通院していたころ症状と報告をかねて（17歳）

先生、お元気ですか。

このごろ身にしみて医学の恩恵を感じております。調子がいいのです。

先生からいただいた大腸の吸収をよくする薬がよく効いてあれ以来、下痢《げり》を一度もしません。また、新しくいただいた半分だけ飲む白い錠剤は、びっくりするほど諸症状をよくしてくれました。
一、動作が早くなった。
二、左足の指が内側へまるまらなくなり、歩きやすく、左足の小指が反《そ》らなくなった。
三、言葉のテンポが早くなった（人間としての特権をまた確実に得ることができたようでうれしい）。
四、飲み込みやすくなった。
五、ダ液の分泌《ぶんぴつ》が良い。お茶と一緒でないと食べられなかったようなものが食べられる。

六、先生に練習次第でよくなると励まされたおかげか、言いにくかったマ行、バ行が別に気にならなくなりました。

背骨が曲がっていると先生はおっしゃいましたが、どうすれば治るでしょうか。

今度、九月十七日に受診するつもりでいますので、その時に教えて下さい。

この前の手紙に、「病状の底辺を教えて下さい。精いっぱい生きてみたいから」と書きました。

今それを取り消したいと思います。

そんなもの知らなくたって精いっぱい生きていける、そう思ったからです。

今は、腰（骨盤）の訓練を主にしています。

アキレス腱《けん》が硬《かた》いのも右のふくらはぎが細いのも気にならないではありませんが、歩くために一番大切なのは、腰骨ではないかと思います。

寄宿舎の生活はとても忙しくて時間が足りません。

寮母さんに朝早く起こしてもらって勉強する時間をつくっています。

では、九月十七日にお話できるのを楽しみに待っています。さようなら。（亜也）

親友への手紙　＊友人へ手紙を書くのが唯一の楽しみだった（19歳）

Y子ちゃん。

絶えずベッドから話しかけているのですが、手紙を出さないことには通じないもんね。

わたしの手紙をもらってうれしいってホントですか。

こんなにくしゃくしゃの字でもうれしいなんて言ってくれる人がいるなんて感激だわ。

いっぱい、手紙書くね。

わたしは昔（動けたころ）、悪いことをしたことばっかり覚えてるの。

障害をもつ人間となってしまった今、わたしに残されたものは、今までのわたしと動かなくなった体……。

それではちっとも進歩なんてありえない。

ねぇ、Y子ちゃん。人間って大きくなるもんだよね。

「不幸の中に幸せがある」、なんてずいぶん陰険《いんけん》な考え方だと思ったの。

あのね、だから楽しい手紙を書くことにします。

最近あったうれしいことといえば（内緒ですぞ）、ちょっと大人のムードの花柄のパンティーを買ってもらったこと。

それと豊橋市（愛知県）のボランティアグループ「いちにのさん会」の四人の若者に愛知こどもの国へつれて行ってもらったことです。

わたし、前よりうんと話するのゆっくりになっちゃったし、言葉自体が不明瞭です（カ行がハ行に聞こえる）。

でも、Y子ちゃんとはお話したいです。

「人をたてる」ってどうすればいいのでしょうか？

妹や弟はなにもできないわたしを姉としてたててくれるの……。

くちなしの花の季節ですね。

病院でもらったあの一輪のくちなしの花、今も心の中で咲きつづけています。
あのね、Y子ちゃんは生きて下さいね。
わたしも生きます。
「理解されることよりも理解しなさい」とマザーテレサは言ったそうです。
優しい言葉だと思いました。

ツユです。カビさん発生に注意して下さい。
汚い字でごめんなさい。
ではなごりはつきんけど、さようなら。(亜也)

卒業する東高の友へ　＊養護学校を卒業する前日、かつて共に学んだ友人へ(18歳)

もう卒業ですね、お元気ですか。
あなたにお世話になったこと、決して忘れません。
雪みてきみを思い、ちぢれ乱れ、からまった髪をみてきみを思うは、人恋しい春の始まりでしょうか。
日差しがだんだん和《やわ》らいできました。
せめてあなたの卒業式の日が晴れますように……。
友よ、ありがとう。
そして、おめでとう。（亜也）

そら（詩）　＊亜也のベッドからは空しか見えなかった（19歳）

大空をあおいでごらん
青空に白い雲が輝いているだろ
からだが動かない悲しみなんて
ほら、すぐにふっとぶからね
ほらね、悲しいことなんか忘れちゃえよって、ささやいているだろ
青空は広いのさ
うーんとうーんと遠い世界の果てまで

人の心とつながっているから
大空をゆめ見てごらん
楽しさいっぱい　希望がいっぱい
苦しいことなんか忘れちゃえよって
ほほえんでいるだろ
さあ、行こう
荷物は重いけど負けちゃあいられないだろ
たとえ雨がふっても　あしたは晴れるさ

京都旅行でわたしが得たもの　＊ボランティアの人たちと旅行（16歳）

京都旅行でわたしが得たもの——。

それは人のために何かをやろうとすることが、どんなに尊いものであるかということです。

これは、意識していれば誰にでもできることだと、わたしは思います。

銀閣寺でのことです。

小さなひょうたん池に架《か》かる階段に車イスがさしかかった時、知らない女の人が「お手伝いしましょうか」と声をかけてくれました。

車イスが階段を上り下りする時は、四人の男の人の力が必要です。

その時わたしは、その女の人の勇気と優しさにびっくりしました。

若葉の香る哲学の道で、わたしはいいことをしました。

道で転んでひざをスリむいた男の子がお母さんに抱かれてベソをかいていました。

若いお母さんは、空《から》になったバンドエードの箱を見せて「もうないのよ、だから我慢しなさいね」となだめすかしていました。

わたしはちょうど持ち合わせていたので「どうぞ」と夢中で差し出しました。

その子もお母さんもびっくりしたようでした。

車イスに乗った、興奮のために顔がひきつり気味の見知らぬお姉さんが差し出したバンドエードの箱を受け取ってよいものか……。

幸いにしてわたしの好意は通じました。

うれしかったなあ。

旅先の小さなできごと。

勇気を出してよかった。気づいてよかった。ほんとうによかった。

そのあと平安神宮へ行き、世界中の人々がみんな幸せになれますようにと、真剣な顔して拝《おが》んできました。

健康な人でさえなかなか得られないような素晴らしい一日をありがとう。

障害　＊将来が見えないと悩んでいたころ――1（17歳）

健全なる魂は健全なる肉体に宿る。

心身を鍛えよ！　ということだと思う。

だけど、わたしにとっては心にズキンとくる言葉である。

いくら手を伸ばして得ようとしても届かない夜空の星のようなもの。

しかし、健全な魂が一等級というわけでもない。二等級や三等級の星だって、きちんと光っております。

ヤケになってはイカン。

常に前向きであれ。

人はみな長所、短所を持ち合わせていて、それを社会の中で生かして、殺して生活している。

しかし肉体的欠陥は、補《おぎな》いようがないと思う。

秋の思索　＊将来が見えないと悩んでいたころ――2（17歳）

愛知県立岡崎養護学校の中学部棟《とう》の玄関前に、岩壁が眼前にそそり立っている。

その岩壁の上に朝の光が白んで見える。

明日はきっと幸せが来るだろう。そう思ってわたしは一人微笑をうかべた。

実をいうと、わたしはこのコンクリートの壁が好きではない。暗い気分にさせられてしまうからだ。

そっと見上げて、ため息をついたこともあった。

この岩壁は、イコールわたし自身の障害となっていることに気付く。いやだ。

泣こうがわめこうが、眼前にそびえ立つこの岩壁は消えることはない。

だが、この陽《ひ》のあたる美しい瞬間がこの憎たらしい岩壁にもあったじゃないか。

だったら障害をもつわたしにだって!

見つけ出そう。見つけに行こう。

ほのぼのと光さしたる山の端《は》に明日の幸《さいわ》いは実るとぞ思う（亜也）

絵本と歯痛　＊甘えについて（17歳）

チクンチクンと歯が痛い。

虫がわたしの歯の中で踊っている。笑っている。

でも、それもいいんです。

むかしむかしのある夜、妹が「歯がイタイ」とわめいているのを聞いて、わたしは「ウルサイッ」といったのだそうです。びっくりしました。

そんなことがあったとは、寝ぼけていたのかまったく覚えていないんです。

わたしが歯が痛いと泣きべそをかいている時に、妹が教えてくれたのです。

ある幼児向きの絵本にこんな場面がありました。

お池の魚《サカナ》くんが友達の蛙《カエル》くんに鳥の話を聞いて鳥の姿を連想します。

「いろいろな色の羽があって、くちばしがあって……」だけど魚には、自分たち魚に羽が生えたようにしか連想できません。

人もみんなそうだと思う。

自分のものさしでしか人をみられない。

わたしは、わたしの持つものさしを広げたいのです。

なるべく多くの人の苦しみをわかってあげたいのです。

それには、自分が苦しみもだえることが必要なのです。

そして魚くんは、蛙くんから聞いた鳥を見に行こうと、乾いた草の上に池から飛び出します。

干《ひ》からびて息苦しくなった時、蛙くんに助けられます。

池の中にもどった魚くんは「やっぱりここが一番いいや」とほっと一息。

わたしは、自分を苦しみの中へと追いやっているつもりでいるけれど、求めるものはやっぱり、ほっと一息つけるところではなかったろうか。

生命　＊セミのぬけがらに思いを寄せて（17歳）

中三の弟と三歳の妹と、一緒に裏の神社へ行った。

砂利道をがたごとマイカー（電動車イス）で行く。

つたない運転でドブに落ちないように気を配りながら、それでもわたしは笑っていた。

久し振りの外出がそんなにうれしかったのだろうか。

いや一人だったらおそらく笑えなかったと思う。

三歳の妹が弟とキャアーキャアーはしゃぐのを聞いていると、なぜか自分まで楽しくなる。

その点、小さい子は天使……。

石の鳥居をくぐって境内《けいだい》に入る。

周りは鮮やかな緑の大木でおおわれている。小さな庭のような境内では葉陰が強い夏の日差しをところどころさえぎって、乾いた地面に静かな模様を描き出していた。

アブラゼミの鳴き声が、海なりのように聞こえる。

それはうるさいというよりも時間を超越《ちょうえつ》したある空間へとわたしを誘いこもうと訴えているかのように感じた。

ポチャッとした小さな妹をひざにのせて遊んだ。

「ヤマト発進！」と勇ましくかけ声をあわせ、電動車イスで、ぴゅーんと進む。

妹は、キャッキャッとはしゃぎ、喜んだ。

その時、ほこらの前の砂の中にいるアリジゴクを探していた弟が、妹を呼んだ。

「理加ちゃん、これなんだろう？」

弟はかけ寄った妹としゃがんで、木の幹を指した。

見ると、セミのぬけがらだった。

わたしはそれをとろうと思った。

セミのぬけがらが引っかかっているそこは、木もれ日が、やわらかく照らし出していた。

微妙な影が流れるのを感じた。

透《す》き通った薄茶色の背中（？）が縦《たて》真っ二つに割れている。

吸いつけられるようにじっと見つめていると、いつか図鑑で見た「セミの脱皮」の写真を思い出した。

生まれ変わったばかりのセミの体は青白く、羽は濡《ぬ》れ、透き通ってしわくちゃだ。長い地下生活から抜け出すその美しくまばゆい瞬間を、わたしはぬけがらの中に見た。

生命の神秘。わたしはそのぬけがらが欲しいと思いながら、とうとう手も触れることができなかった。

自然の摂理《せつり》の中の生命の神秘に、その時のわたしの感情が敏感に反応したのだ。

人はなぜ勉強するのか　＊体が不自由になって思うこと（18歳）

数学、国語、やるべきことはたくさんある。高三になった今、やり残したことが多すぎるような気がする。

あの時やっておけばよかったと後悔しても、時はもどってこない。

今を悔いなく生きること。

勉強したいと思えばすればいい。したくないと思えばしないでおけばいい。

だけど、世の中そんなに甘くはない。

やりたくないからやらないというのは通用しない。

わたしの過去をふり返ってみよう。

運動神経はにぶかった。

ポートボール（バスケットボールのような球技。ゴールのバスケットの代わりに人が立ってボールを受けとる）では、ボールをもつとパスしないで、ボールをかかえ、座り込んでしまうので有名だった。

また、わたしは他の子がスイスイとぶタイヤ渡りがとべなかった。

けれど、めげずに練習したら、とべるようになった。

運動会で倒立をする種目があった。三人でヨットを形づくる組立て体操である。

三人のうちで一番チビだったわたしは、倒立をする「帆《ほ》」の部分を受けもつことになった。

さあ、困った。

先生に、両手をついて向こう側に倒れそうになるまで足をけ上げないとできないよといわれた。

そこら中で練習した。

人目も恥じず一生懸命にやった。

初めてけ上がって向こう側に倒れた時の喜び。

背中を強くぶったのでむせて咳《せき》がでたけれど、わたしが覚えているのは、自分の笑顔と、夕日に浮かぶ長い人の影だった。

このように、できなかったことができるようになった喜びは、格別に最高だと思う。

だけど、いやなことばかり強《し》いられていては生きていけない。

興味をもってアタックできることがあればそれにこしたことはない。

小学六年生の時、星にとりつかれ「宇宙」の事典をひっぱりだしてうっとり眺《なが》めていた。

星にまつわる魅惑《みわく》的な話。美しい伝説。そして、果てしなく続く宇宙にあこがれた。

ただ趣味として深いところまで広がらず、中途半端で終わってしまった。

何もできなくなった今、もったいなくてしょうがない。

学問、運動のすべてが、学ぶことだった。

今思うに、人はやさしくなるために勉強しなくてはいけないと思う。

数学は、いく通りかの方法で答えを出すからいろいろな考え方を身につけることができる。

国語は、教養を広め、人間の器を高める教科であると思う。

英語は、異国の人々、国土、習慣、ものの考え方の違いを知るために重要だと思う。

中一の時、英語の先生が話して下さったことを思い出す。

バスとトイレとどちらが汚いか。

日本人なら、臭くて汚いところというイメージでトイレ、と答えるだろう。

外国人は、バスの方が汚いと思っているそうだ。

日本のように、何人もが入る風呂は汚い。

外国人は、一人入るたびに湯を入れかえたりシャワーを使う。

外国人からみると奇妙なこととうつるらしい。

こうしてみると、知ること、すなわち勉強することって、楽しいしおもしろい。

大器晩成《ばんせい》といってもったいぶらず、海綿のように、吸収できる能力があるうちに勉強し、でっかい人間になりたい。

体が不自由なだけ勉強をしっかりやろう。

普通の人と肩を並べていくには、それしかないんだ。

そう思って高校時代は、勉学にいそしんだ。

恥ずかしいことに、養護学校にきてからは、洗濯や身のまわりの雑用で時間がなくなり、ちょっとこの考えは低調となった。

朝の月　＊心の揺れを朝の月に託して（18歳）

寄宿舎の月曜日。少ない人数の朝ご飯がすんだ。

後片づけのほうき部隊も去り、食堂はガラーンとしている。

机やイスが気をつけをしたように整列して、シーンとしている。

日の光がやわらかに、金持ちにも貧乏人にも、体の丈夫な人にも不自由な人にも、動物にも植物にも、だれかれの区別なくみんな一様にあたたかい心地よさを平等に与えてくれる。

いいなあ太陽って。お日さんこんにちは。てなことを考えながら一人目を細めて見る。

日曜日はわたしが新聞当番。

やらなければいけないことは先にやっておこうと新聞を綴《と》じる。

一番最初に新聞を見る用務員のおじさんがまもなくみえるだろう。

ふと思いつき、ベランダに出てみる。

ひんやりとした空気が頰《ほほ》をさす。

コンクリートの手すりが冷たい。

パッと目の前に景色がひろがる。

遠く連なる緑の山々、窓が光る山あいの白いアパート、そして高く白くそびえる火の見やぐら、後ろに広がる青い空。

すべてが遠い存在のように思えた。

昨日、舎監のK先生に言われたことを思い出していた。

「恥ずかしいとか、こんなこと言ったら人にヘンなふうに思われるんじゃないかってまったく気にせず自分を出してみろよ。先生は、クラブで声を出すことになれた。剣道なんてすごい声を出すもんな。恥ずかしがっていたらやられちゃう。だから、恥ずかしさを消すためにいろんなことをやった」
「どんなこと？」
「たとえば街角に立って知らない人にあいさつをするんだ」
わたしは目を丸くして驚いた。
ひっ込み思案《じあん》のわたしにとってこの言葉は、革命的なものだった。
ふつふつと心の底からわきあがる熱いものがあった。
ぼんやりと思いにふけっていたわたしの視線が動くものにとまった。
K先生の車だった。
食堂のベランダから見える急な坂を上ってきた。
やがてK先生は大きな体をゆすってノシッノシッと歩いてきた。
人なつっこい、はにかんだ笑顔がわたしを見上げていた。
わたしは手を振って、「おはよう！」。
本当に純粋な気持ちで自分をだして叫ぶことができた。
ハイジにでもなったみたいで、とても気持ちがいい。
そして、K先生も手を振ってくれた。

「おはよう」

K先生は去った。また一人になった。

だけど、心はあたたかかった。

おやっ、今度はN先生が坂をふうふういって登ってきた。吐く息が白い。

気分に乗ったわたしは、手を振って叫んだ。

「おはよう!」

妊婦服を着たN先生は快活にほほえんだ。

丸い目、紅《あか》い口もとが愛らしい。

「おはよう」

歯切れよく、返ってきた。そして、

「この坂えらいわァ」

わたしは、かえす言葉がみつからなかった。

わたしはその坂道を歩いて登ったことがないから……。

わが身をつねって人の痛さを知れ、とよくいわれるが、わたしは難しいことだと思う。

それで人を思いやることができるのかなとも肯定的な意味で思う。

それなら、わたしはこの場合どうすればよかったのだろうか。

まっとうに励ましの言葉をかけるか、一寸《ちょっと》ひねくれたちゃかしでもよかったのだろうか。

わたしのほほえみで会話がとぎれたことが、なぜかとても悲しかった。

N先生も去った。また一人になった。

そんなわたしを青い空の中から、白く細い朝の月が見おろしていた。

小学校時代。活発で本が大好きな子だった。この数年後に、病魔が忍び寄ることになるとは誰も予想していなかった。

亜也と共に歩いた十年

病魔との闘い

発病

丸顔でくりくりした大きな目、それにリスのような前歯。

「アッハッハではなく、オホホと上品に笑わないといけない。口と歯が大きすぎるのがわたしの欠点じゃ」と、口に手をあて、しなを作ってはみんなを笑わせていた亜也。

そんな心身共に健康な女の子だった私の娘・亜也が、義務教育をあと数か月で終え、将来に向かうスタートラインに立とうとした矢先、突然、病魔に襲われた。

「行ってきまァーす」と、重たいカバンを提《さ》げて歩いていく後ろ姿を見送っている時、他の子に比べ、左右の肩がいやに揺れるのが気になった。それに、最近、体重の減少も目立つ。夜遅くまで勉強しているので、睡眠不足や不規則な生活のせいだろう。今日から八時間は寝るようにいわなければと思いながら、自分の支度《したく》にとりかかった。

ある日の朝、中学生の長女・亜也、二女・亜湖、小学生の長男・弘樹、二男・賢太郎の四人の兄弟姉妹がそろって学校へ、続いて夫も出勤。家には、保健所へ出勤する途中に保育園へ連れて行く三女の理加と私だけが残っていた。

玄関のドアの開く音がした。

誰か忘れ物でも取りに帰ったのかとエプロンをはずしながら台所から玄関へ出ると、血だらけの顔をした亜也が泣きながら立っていた。

〝転《ころ》んだ〟と、ひと目でわかった。

砂利《じゃり》と血で汚れた制服を着替えさせ、顔を濡れタオルで押すようにして拭《ふ》きながら、大きく口を開けているアゴの裏の傷に、ガーゼを当てて止血《しけつ》した。

そして、すぐに病院へ連れて行き、縫《ぬ》ってもらった。

「アゴの裏でよかったね。小さな傷だから大人になるころにはわからなくなるからね。今日は一日、静かに寝ていなさいね」――。

保健婦として医療の一端で働く私は、痛みも苦痛もない症状からみて、筋肉の病気か、神経に異常があるのか、ハードな生活からきた一時的なものかなどと、想像がたくましく働いた。

普通、転ぶ時は反射的に手が前へ出る。それなのに亜也は、まともにアゴをぶっている。やはり、おかしい。

あれこれ考えた末、受診することに決めた。

当時は、脳性小児マヒの早期発見、早期訓練で障害を軽減できる「ボイター法」がさかんにいわれ始めたころで、愛知県岡崎市にある「第二青い鳥学園」という肢体《したい》不自由児専門病院でもこのボイター法をとり入れ、積極的な治療が行われていた。園長の上田正先生には、保健婦の仕事を通し、家庭訪問した乳児を紹介し、診断や治療をたびたびお願いしたこともあった。

早速、亜也を連れて青い鳥学園で受診した。神経学的検査などをしていただいたが、症状からみて筋ジストロフィー症でもないし、骨の異常でもないといわれ、神経の専門医の受診をすすめられた。

しかし、三河《みかわ》地方にはそうした病院は少なく、神経内科の大家であり、研究班の班長として活躍されていた国立名古屋大学付属病院の祖父江《そふえ》逸郎《いつろう》教授を医学雑誌で知っていた私は、あつかましくも直接教授に電話をし、相談した。

幸いにも「一度診《み》ましょう」とのご返事をいただき、受診のはこびとなった。

大学病院で受診

国立名古屋大学付属病院で受診するために、亜也を車に乗せ、早朝、豊橋《とよはし》の自宅を出発した。

わが家から名古屋までは、東名高速道路を走っても一時間半はかかる。不慣れな道を不安と緊張で走り、病院へついたのは、受付時間ギリギリだった。歩行不安定な亜也を車に残し、先《ま》ず初診の窓口へ。すぐに手続きを終え、亜也を迎えに車にもどる。

私の肩に手をかけさせ、ゆっくり歩きながら神経内科の前まで行くと、待合室になっている廊下《ろうか》の長イスは満席で、立ったまま待っている患者で一杯だった。待ち時間、本でも読んでいようねと支度してきたけれど、亜也の座るわずかなスペースを確保するのがやっとだった。

昼になってもまだ呼ばれない。心配になって窓口で尋ねた。

「十時半の受付なら二時か三時ごろになるでしょうね」

受付嬢は、驚いている私の顔をけげんそうにみている。

大病院の診療は、三時間待って三分の診療だと聞いたことはあるが、待つことが耐えられる程度の人しか受診できないのかとつい思ってしまった。

売店でパンと牛乳を買ってきた。亜也は目の前を通る人を気にしながら、紙袋の中でパンを小さくちぎっては、急いで口の中に入れていた。

二時半ごろ、やっと順番がきた。

歩くと両肩が大きく揺れ、足の運びもひきずるようだ。それによく転ぶ。目立つほどやせてきたことなどの症状を手早く説明した。

祖父江教授は、打腱器《だけんき》で肘《ひじ》や膝《ひざ》の関節をたたき反射のテストをしたり、立たせて目をつむりふらつきがあるか、両手を左右に広げ人さし指を近づかせつき合わせることができるかなど、神経学的検査をしたうえ、脳のCTスキャナーを指示された。

昼食もそこそこに、休憩もされず沢山《たくさん》の患者を診察されて疲れているはずなのに、笑顔で親切に応対される姿勢に、長く待ったかいがあったと思った。

病院の建物は、歴史を感じさせるほど古い。壁にはシミがあり廊下は狭くて暗い。

CT検査室へは、曲がりくねった長い廊下を通りエレベーターで昇ったり降りたりで迷子《まいご》になってしまうくらいだ。不慣れな者は、精神的に疲れてしまう。

私の決心

ＣＴスキャナーのフィルムを前にして、祖父江教授の説明が始まった。

――運動神経が徐々に消失していき、数年後には寝たきりになり、呼吸不全を起こし、予後は不良であること。

治癒《ちゆ》した症例は、一件もない。

特効薬はなく、まだ開発途上にあること。

ＣＴをみると多少小脳に変形がみられる。

夏休みになったら入院して精密検査をし、進行を少しでも食い止める方法を考えてみよう。

――ということだった。

亜也は、大学病院なら病気を治してくれる。沢山ある薬もきちんと服《の》んで早く治そう。そうしないと将来の計画が狂ってしまう——と信じていた。

しかし、私は、亜也がどんなに頑張っても治らないことを知ってしまった。

これからの人生、どんな苦難が待ち受けているのだろう。私たちは、どう乗り越えていったらいいのだろうか……。

過酷な人生をたった十五歳で歩き始めなければならない亜也の運命に、神はむごいと思わずにいられなかった。

健康な子供であっても感情の起伏の激しい思春期での発病。私の人生も暗黒の世界にひきずり込まれていくようだった。

祖父江教授から告げられた病名と経過を、亜也にどう話したらいいのだろうか。

今、言った方がいいのか、いや、言ってはいけない。亜也を絶望のどん底に突き落としてしまうだけである。今の私には、亜也を救い上げるだけの力がない。

時期を待とう。話さなければならない時が必ず来るだろう。

その時、どんなふうに話せばいいのか。それをじっくり考えておかなければいけない。

死を待つ人生なんて考えなくていい。

今を生きてこそ人生ではないか。

今日の今、一年後の今、寝たきりになっても今を生きていく。

そんな気持ちを持ち続けられる生き方をしてくれるように、私は、亜也の添え木にならなければならない。そうしないと、亜也は折れてしまうほど苦しみ悩むだろう。

この日は、私たち家族、そして亜也の人生を大きく変える出発の日となった。

どんなに苦しい闇のような道であっても、右手に愛を、左手に勇気を持とう。両手をしっかりとつないで行こう。亜也が人生を悔いることなくまっとうできるように、夫と私、そして幼い弟や妹たちも一緒になって助け合って歩いて行こう。そう、心に決めた。

助手席の亜也は、高速道路を百キロで突っ走るスピード感が心地《ここち》よさそうだ。走り去る窓の景色に目を細めている。手にジュースの缶をしっかりと握りしめて……。

「お母さん、もう十四台も追い越したよ。豊川《とよかわ》インターまで何台になるか数えるね」

私は、何も知らずに明るくはしゃぐ亜也を思い切り抱きしめてやりたかった。が、そうした募《つの》る感情を懸命に押し込んだ。

生きるための記録ノート

「亜也はもうじき高校生になるんだから、これから受診する時には、自分の状態は自分で話すんだよ。

月一回の受診だから、気づいたこと、聞きたいことを記録しておいて、短い診察時間を有効にしないとね。

ノートを買ってあげるから、その時感じたこと、思ったこと、なんでもいいから書きとめておきなさいね」

治療して下さる先生に情報を詳《くわ》しく報告すれば早く治ると信じ、亜也は承知した。

亜也の記録ノートにより、症状の程度、進行の度合い、新たに出現した運動失調がよくわかり、症状の改善をはかる薬剤が変更されたりして、一時的にしろ回復したかのようだった。ノートは、症状を軽くする手助けになった。

亜也は、記録は大切だからといって怠らずに克明《こくめい》に書いていた。

記録ノートが厚くなるに従っていつかは病気に疑問を持ちはじめるだろう。進行性の病気は隠し通せるものではない。ごまかしや一時しのぎの慰めで、話をそらすようなことをしてはならない。

これから先、何年もの歳月を病気にくじけず生きていく精神力を養うためには、重苦しく変容していく現実を認識すること。残酷な手段だと知りながら、そこから出発することが大切だと考え、亜也に記録を書き続けるようにすすめた。

病状が悪化するたびに受ける精神的な打撃、苦悩、絶望感。それらを乗り越える力を持たねばならないのは、亜也以上に、実は母親の私自身でもあった。

涙の選択

中学三年の三学期、進学志望校について担任の先生と面談した。

成績からみれば自由に進学校を選択できたが、病気による障害がどの程度まで進行するのか、また進行の速度が予想できないので、通学方法が便利であり、近距離の学校を条件に話し合った。

群別のために、合格したあとは二校のうち必ずしも近くの学校へ入学できる保証はないといわれたが、医師の診断書を提出すれば配慮されると聞き、その手続きをとった。

晴れて近くの愛知県立豊橋東高校に合格したが、最初からハンディを背負って新しい世界に飛び込んで行くにはかなりの勇気と覚悟が必要だった。

不自由な体をさらけだし、伸び伸びと悔いのない高校生活を送ろうと決心して入学したものの、教室で座って授業を受けている間は熱中できても教室の移動は難儀《なんぎ》だった。

行動の不自由さは、生活態度を消極的にしてしまう。自分から進んで友達の中に入って行けず、緊張と劣等意識はなかなか消えなかった。

学校のすみずみまで探険したい。図書室へ行ってどんな本があるか探してみたい。欲望は一杯ふくらんでいるのに時間の余裕がなく実行は難しかった。

しかし、そんな孤独で始まった学校生活も、日がたつにつれ、隣の席の友達やクラスメートたちがさりげなく、自然に支えてくれるようになってきた。カバンを持ってくれる友達。肩を貸してくれる友達。「おはよう」と声をかけて走り去る男子生徒。

亜也の心の中にほのぼのとした温《あたた》かいものが流れはじめた。

トイレに行く回数を減らすため弁当の時のお茶を飲まないようにしたり、教室移動も迷惑をかけないように友達より早く席を立つ。

昼食も二口か三口しか食べる時間がない。

健康な友達と生活の歩調を合わせるためにあらゆることに気をつかい、必死に工夫し、均衡《きんこう》を保とうとしていた。

亜也の生活の大半は、学校生活を維持するためだけで精いっぱいとなり、しかも、それでさえ限界を感じるようになってきた。

入学当時はバス通学ができたが、途中アスファルトの道で転び、前歯を折り病院へかつぎ込まれるなど危険が増してきた。そのためタクシーをチャーターしたり、私が車で送迎したり、通学すら困難となった。

ましてや校内での生活は、友達の助けなくしては不可能に近かった。

三学期の中ごろ、担任と面談した。

――通学については私が世話をする。校内生活は車イスを使用してはどうか。階段は手すりを伝って歩けばなんとかなるし、たくさんの友達が助けてくれるのでやれるところまでやらせたい。

健康な友達の中で勉強したり、語り合ったり、体に障害があっても対等でいられるよう、時間さえあれば勉強している。校長先生とも相談して亜也の努力を認めてやってほしい。

本人が学校生活の限界を知り、次の進路を考えなければならないと自覚した時、また、自覚させなければならないのなら学校生活の中で何が問題なのか、亜也のためにどう考えていったらいいのか、子供と話し合ってほしい――。

若い男性の担任は、多分このような事態に出くわしたのは初めてのことだろう。学校側も身体障害を持つ生徒、ましてや自立生活ができない生徒の処遇に頭を悩ませたことであろう。

私は休暇をとり、愛知県立豊橋養護学校を訪ねた。

静かな環境、広々とした敷地にたたずむ新しい校舎は、心が安らぎ伸び伸びと快適な生活が送れそうな感じだった。でも、亜也が満たされる場でなければ決める訳にはいかない。

それは、よく転んでケガをする、腸が弱く下痢をしやすい、発熱する、誤飲しやすい――など突発的に起こる事態にすぐ対応できる医療施設が身近にあることが必要だった。

隣町の岡崎市にある養護学校に足をのばした。

山を切り崩して建設した学校は高台にあり、屋上から山々や街並みが一望できた。晴れた日などは空を飛びたい気持ちになるだろう。

幸い、近くに肢体不自由児専門病院がある。

教務主任に面接し、学生生活の概要《がいよう》や寄宿生活、在校生の様子を細々と尋ね、予備知識を得た。

数日して、夜、担任の先生が訪ねて来られた。

「校長にも相談した結果、他の生徒にこれ以上負担をかけることはできない。世話に疲れたといっている友達もいる。障害者が生活できる学校の構造でもないし、一人のために改善する予算も予定もない。これ以上、本高校では無理だから二年生から転校を考えてほしい」という内容だった。

聞いているうちに怒りが込みあげてきた。

亜也が高校にいること自体、迷惑だというふうに受けとめられるような説明だった。

人に助けてもらっていることを当たり前のこととしてのうのうとしていたならいざしらず、すまない、申し訳ないという気持ちで一杯だった亜也。どうしてこんなことができないのか、悔しい気持ちを押さえて、一日でもこの学校に置いてほしい。卒業するまでいられるとは思わない。でも、もうしばらく頑張っていたい。できるだけ迷惑にならないように努力するからと、心から願っていた亜也。

そうした気持ちを、教師は、先ず受けとめてやってほしい。

そのためには、亜也とひざを突き合わせて話し合って下さることが大切ではなかったろうか。

将来の自立を目ざして今の学生生活を無駄にするなと教育しているのに、こんなことでは教育者の役目を親に転嫁《てんか》しているのではないだろうか。

親は、子の一生を考えて支えようとしている。

教師は、その子の人生の一部分に関わり合うだけである。しかし、本当は、一生を左右するほど大切な役目があることを知ってほしい。生徒でなくなればそれでおしまいというならば無責任な話だ。

だんだん社会の片すみに追いやられ、東高にいることができなくなったという傷ついた気持ちで転校するのではなく、無理だと知りながらも断《た》ち切れない学校や友達への未練、後ろ髪をひかれる思いを乗り越えようとしている亜也から、輝く光を見つけ出し、「亜也ならやれるぞ!」と励まし、力づけてほしかった。

信頼する先生からその一言《ひとこと》があったなら、亜也の流した〝1リットルの涙〟は、別れのつらさと感謝の涙であったろうに。そして、楽しい思い出だけを大切にしていけたのにと思った。

「わたしの存在がそんなに迷惑をかけていることをなぜ直接話してくれなかったの?親に話す前に毎日顔を合わせているわたしに言ってほしかった。そうしたら、自分自身の意思で転校しますと、決断できたのに……。障害があるために小学生と同じ扱いを受けたことでひどく自尊心が傷つけられてしまった」と亜也は泣きながら私に言った。

「先生は、亜也に直接話すのがつらかったんだよ。一生懸命に頑張っている姿を見ているから……。世話をしてくれた友達もいやいやみてくれたのではないし、当番制でもなかったでしょう。迷惑をかけたけれどそれ以上の何かを亜也から感じとっていると思うよ。一年間過ごすことができたのは友達の協力があってのこと。感謝、感謝！一つの節目が終わったんだよ。次の節目に向かって前向きになろうよ」

その後、愛知県立岡崎養護学校のことを具体的に話し、亜也を連れて見学がてら再び訪ねた。

そして、亜也は自分の意思で転校することを決めた。

以後、世を去るまでの数年間、亜也を支えてくれた友人たちは、たびたび病室を訪ねてくれた。結婚したいと彼を紹介したり、わざわざその後の報告にきたりする友達もいた。病室の中はそのたびに明るい笑い声とくったくない話で花が咲いた。

「亜也、やっぱり東高での亜也の存在は迷惑人間だけではなかったね。こうして遠方から会いたいと訪ねてきてくれるんですもの……」

そう思ってくれれば、あの時の心の傷は洗われ、消え去っていくだろう。

ハードルを越えて

二回目に入院した藤田保健衛生大学病院へ、家族そろって出かけた時のことである。

「家へ電話をかけたけれど駄目だった」

「公衆電話が混《こ》んでいたの？　今週は一度もかかってこなかったから病院にも慣れてきたのかな、ホームシックにかからなくなったのかなと思っていたよ」

「途中で切れてしまったの……」

と、亜也はうつむいている。

「どうしてかなァ……」

しばらく沈黙が続いた。

亜也の顔が赤くなり、大粒《おおつぶ》の涙がポトポトポト落ちはじめた時、はっと気がついた。同時に背筋に冷たいものが走った。

「ちょっと待っててね」

急いでエレベーターで一階まで降り、公衆電話に十円玉を入れた。

ダイヤルを一回だけまわす。そのまま受話器を耳にあてていた。五秒くらい間をおくとツーツー音が入り切れてしまった。

指先に力が入らず、ダイヤルを続けて回すことができなかったのだ。

公衆電話の前でへなへなと座りこんでしまい、すぐには病室へもどれなかった。

つらいリハビリを人一倍頑張ってやっている。頭痛、吐き気がする強い副作用にも耐えて注射をうけているのに、数日前まではやれたことが今日はもうできないなんて……。

この事実から次に何を生み出していったらいいのか。

この現実への対策を考え出さなければ、病室にもどって亜也と話の続きができなかった。

不自由ながらも時間をかければ着替えも食事も排泄も、洗濯や売店での買い物だってできた。

これから先の人生は「できなくなった」がだんだんふえていくだろう。

電話だけの問題ではない。


病気の治療、障害との闘い、一つにみえても亜也にとっては二つの闘いである。

進行する病気に負けまいと頑張る精神力と、障害を克服《こくふく》し生活を工夫していく手段を均等に保持しながら生きていくことは、幼い亜也にはあまりにも荷が重すぎる。


病室に残した亜也が心配になり、混乱した頭のまま売店でジュースを買って病室にもどった。

洗濯物をカゴに入れ、三女の理加が亜也の車イスを押して一階のコインランドリーへ行く。

洗濯機をまわしている間じっとしておれず、家族で散歩に出た。

理加は「お姉ちゃんどっちへ行きたい？」と広い病院の庭をあちこち力いっぱい車イスを押して歩きまわっている。

危ないからと二女の亜湖がその後をついている。

石垣に腰をかけて見守る私たち夫婦。回復して退院できるのなら和《なご》やかな雰囲気だ。

自分を想ってくれる家族の愛情を感じるのか、亜也の顔がほころんでいる。

病院内の売店へ行き、ティッシュペーパー、お菓子、果物を少量ずつ何種類も買う。

自分の好きなお菓子をさっさとカゴに入れている妹の姿が可愛いのか、目を細めて見ていた。


今日は帰る前に大事な話し合いが残されている。

公衆電話の前に車イスを止め、ポケットから中細のサインペンをとり出し、逆にして亜也に握らせた。

「ダイヤルの丸い穴に立たせて円にそって回してごらん」

わが家の電話番号をゆっくりだが切れ目なく回すことができた。

電話台の横に置いた受話機を両手で持って耳にあてると呼び出し音が聞こえたのだろう、ニコッと笑って私の顔を見上げた。

「ＯＫね。もう受話器を置きなさい。わが家はルスでぇーす。亜也、お母さんが今から問題を出すから答えなさいよ。学生のころ、難しい数学の応用問題が宿題に出されました。亜也はなかなか解けませんでした。困ってしまった亜也は、一、泣きました。二、自分の頭の悪さをなげきました。三、参考書を読んだりして何とか解こうと努力しました。四、あきらめて放り出しました。さて一から四のうち、亜也のとった行動はどれですか。指を立てて答えなさい」

何を言い出したのかとけげんそうな顔をしながらも、さっと三本の指が立った。

「はい、〝三の努力しました〟だよね。今でもその姿勢は変わりありませんか。それとも、四に変わりつつありますか」

「三、です」

本題に入った。

「指が思うように動かなくなって電話のダイヤルが回せなくなったこと。家族と話したかったけれど声も聞けなくてがっかりしたと思うけど、それでおしまいにするなら、答えは四になってしまうよ。サインペンで実験したらやれたでしょう。これが三の姿勢でしょう。できないことがあったら考えて、工夫してやってみること。知恵はいくらでもわいてくるんだよ。ただし、亜也の答えが一や二を通っても、最後の三の気持ちにならなければ知恵の泉は涸《か》れてしまうよね。一本の指で駄目だったら指は五本あるじゃない。右手が駄目なら両手を使えばいいよ」

〝できない〟というサインペンを使ってもダイヤルが回せなくなる日がいつかくるだろう。障害に初めてぶつかった。

障害との闘いは、言い換えれば自分との闘いである。これからの人生の最大の、重要な課題になった。

今日の話し合いが、今後の生活姿勢に根づいてくれることを願った。

ユーモア精神

亜也の動作やしぐさは、見ない振りをしてしっかりと見ていた。

茶碗《ちゃわん》の持ち方がぎこちなく、落とさないようにつかんでいる。

玉子焼きが箸《はし》ではさめず、なかなか口へ運べない。

「スーパーでこんな可愛らしい茶碗を見つけたの。五つ買ってきたから自分たちのを決めなさい。スプーンはおまけでぇーす」

落としても割れないプラスチックの茶碗と、柄《え》が木製で太く持ちやすい先割れスプーンにさりげなく交換する。しかも、一人だけではなく子供たち全員に。

ご飯の入った茶碗をつかみそこなって落とした。

隣席の亜湖が机の下にもぐってこぼれたご飯を拾う。ボールを机の下からそっと手渡す。

弟たちは、戸棚から新しい茶碗を出してご飯を盛っている。

自然の動作の中で、障害のことには触れずに雑談をしながら世話をしている姿がうれしい。

しかし、亜也の心中を察するとそれでよし、ということではない。

自分は迷惑をかけるだけの存在ではなかろうかと感じている。涙ぐんでいる顔でわかる。

亜湖がボールに入れた落下飯（?）に花かつおとチリメンジャコを混ぜ合わせて

「ラム（猫）のメシ一丁あがりッ!」とみんなに見せて猫の食器に移す。

煮物もスープも、こぼしてもヤケドしない程度に冷《さ》ましてから食卓に運ぶ。

亜也のスープ皿にはスプーンのほかにストローを一本つける。

幼い末娘がそれを見て「ワタシもストロー」とせがむ。

一番上の子と一番下の子がストローでスープを飲む光景は、成長の順を狂わせていた。


行動の不自由さは、何ごとも受け身の姿勢に変え、消極的にしてしまう。

底なしに沈んでいく心を救いあげる言葉は、励ましでも慰めでもなく、それは、一緒に笑顔になることを見つけ出すことだった。

ユーモアは、人と人の心を結びつけるし、笑いで同じ気持ちになれることを知った。

窮地に追い込まれるほど周囲の者はユーモア精神を旺盛にして、亜也の泣き顔が、泣き笑いとなり、鼻水をティッシュでかんでどん底から脱出し、一歩前進したい気持ちが生まれるように心がけた。

無邪気な理加の存在は、亜也の心を安らがせた。

スカートを脱いでパンツと下着になり、玩具のマイクを持ち、ソファーの上に立ってピンク・レディーのペッパー警部を手ぶり身ぶり。さらにカタコトでキャンディーズの歌を真似する。

姉と弟が手拍子でリズムをとって声援すると、ピョコンとおじぎをして次の歌に移る。

いつまでもつき合っていられないと一人去り二人去り、最後までそばで聞いている亜也に、

「お姉ちゃん、こんどは何がいい？　一緒に歌おうか」

家族や友達との間に明るい話題の花が咲き、腹の底から笑うことができたそんな時、亜也のエネルギーはひき出され、創造力が刺激され、積極性も増し、活動意欲がわく。一時であっても、亜也は生き生きとした表情となった。

亜也のための化粧

すき通るような白い肌《はだ》。毎朝家政婦さんに熱いお湯できれいに拭いてもらうので、亜也の肌はつやつや光っている。

まっ黒な長い髪をポニーテールにまとめ、きりっとした眉《まゆ》に大きな目、薄化粧をしてイヤリングをつける。布団を首までかけていたら、どこが悪くて入院しているのかしらと思うほど、美しい。

「亜也、お母さんに似て美人でよかったね」

「ウェーッ、お母さん、自分を美人だと思ってるの？　理加はパパに似て大人になったら美人になると思ってるのにィ」

と一緒に病室にいた理加が口をはさむ。

「へェー、パパに似れば欽ちゃんと同じたれ目ちゃんで、小っちゃな目。美人にゃあなれんよ。美人は大体、目が大きいんだよ」

「パパはスタイルもいいにィー」

「お母さんだって捨てたもんじゃないよ。ヒップアップでスラックススタイルもまんざらでもないにィ」

「誰もほめてくれんので、自分で宣伝してるみたい」

「そんなことないよ。パパだってカッコイイといってくれるよ」

「それはお世辞、お世辞。お母さんがこれ似合うってきいたとき、似合わんとは答えられんでしょう。お母さんもトシだよ。髪を染めたり、赤い服はもう似合わんにィ……」

小学六年生ともなると、憎らしいほどズバズバと思ったことを言う。

亜也の耳元で、小声で、

「お母さん、まだ若いよね。この前、部屋に来た人が亜也さんのお姉さんですかって言ったよね」

私は亜也に相づちを促した。亜也は、ニコニコして聞いていた。

亜也の美人説から意外なとばっちりがきたようだった。

以前、化粧もせずに目の下にクマを作ったまま病室へ入った時のことである。亜也が、

「お母さん、白髪が目立ってきたね」

と、しげしげと私の顔を見詰めながら不自由な手で白髪を抜こうと手を伸ばし、頭をさわってくれたことがあった。

元気だったら母の手助けや弟妹の世話もできるのに……。そして、病気の子をもっ

たばっかりに親に苦労をかけてしまう。母にすまないと思ってのしぐさだった。

その時から私は、病院へ行く時は必ず化粧をした。

白髪も目立たないように、ヘアーダイをした。

お母さんは、まだまだ若いんだよ。

亜也の世話でこたえるような年ではないんだよ。

永遠の若さとまではいかなくとも年を感じさせてはいけないと心に決め、ちょっと派手かなと思っても十年前に着ていた赤いセーターを取り出し、ジーパンをはいてテキパキ動いた。

亜也を安心させるためだったら、他人から何といわれようと平気だった。

障害は亜也の一部分だ

健常者と同じ校舎で生活していた東高の一年間は、不自由な動作が目立ち、いやというほど障害を意識しなければならなかった。

トイレへ行く回数を減らすために、ノドが渇《かわ》いても水を飲まずガマンした。

教室の移動には時間がかかる。昼食をとらずに午後の授業の準備をしなければ間に合わない。

小走りに廊下を歩く級友に突き当たらぬよう、窓際にしがみついてよける。

廊下で転び、泣きたいほど痛くみじめになっても、起こしてくれた友達には、痛くない、大丈夫よと笑顔でこたえる。

障害者の亜也は、健康な人に気をつかい迷惑をかけないようにと神経をすりへらしていた。

しかし、つらくて苦しい生活の中でも、勉強のことや趣味の話、議論したり感動を共にする時、友達と同等になれた。その喜びがあったからこそつらいことも我慢できたのだろう。

健康な友達との接点は、ここにあるんだと思っていた。

発病して一年あまりは、病気の進行は極めて早く、普通高校での生活の限界がきてしまった。

学業をあきらめ療養に専念すれば、世間から保護され今より安らぎが得られるかもしれない、という思いが頭をかすめた。

しかし、学習への意欲と情熱が人一倍強い亜也にとって、めどの立たない入院生活は羽をもぎとられた鳥のように、生きる目標がなくなり、精神的に耐えられなくなってしまうだろう。

治療しても回復する保証がないのなら、自分の人生を自分で考え、苦しみ以上の喜びを感じる生活ができるようになってほしい。親としてできるだけのことをしてやろうと、夫と話し合った。

友達や弟妹と一緒にいても行動の差はますます広がっていった。

一人とり残されていくようで、不安になるのだろう。悔しくって、悔しくって、亜也はよく泣いた。

十六歳にして人生の方向を百八十度転換しなければならないのだ。先生や友達にアドバイスを求め、将来へ向かって放つ光を探そうと必死だった。

そんな時、「自分の障害を認めなさい。そして、そこから出発するんだ」と言われ、亜也はずいぶん悩んだ。

ものを考えたり勉強をする時にも、体が不自由であることを前提にしなければなら

岡崎養護学校にて。移動がスムーズにできるよう、車椅子を使用。
日を追って病状が悪化するが、常に明るさを忘れないよう努力していた。

ないのか。病気が進行する。それによって障害はますます重度となる。病状が固定しない体で、将来を考えたり勉強することに一体何の意味があるのだろうか。学ぶことがわたしに残された機能の一つだと邁進《まいしん》してきたのに、将来寝たきりになるかもしれないといわれている今、何を目標にして生きていったらいいのか。障害を認めること、自分のできることを精いっぱい努力して生きること、この二つをどう結びつけていったらいいのか。

頭の中は混乱し、自分の生き方がどうしてもつかめなくて悩んでいた。

養護学校への転校を決心した十六歳の時、亜也と障害について語り合った。

——健康であっても突然失明したり事故で手足を切断され、生活が一変してしまう人もいる。

生まれながらにして障害があり、その生活が日常となっている人もいる。

病気で障害が起こり、病状の進行と共に障害の程度も進んでいく人もいる。

みんなそれぞれ生いたちが違うように、身体障害者手帳を持っている人も障害のなりたちが違っている。

障害者という言葉は、五体満足で正常な行動ができる健康な人を基準にして作られた言葉である。社会福祉、社会教育などで恩恵や加護の意味をもった名称だとお母さんは思う。

障害者の一人一人を考えてみると、障害の重みは障害のある本人が背負うもの。周囲の人は、手を添えて少しでもその荷物を軽くしてあげることしかできないんだよ。今度はお母さんが荷物をしょってあげる。しかし、障害を交代することはできないのよ。

亜也が病気によって障害をうけたのは、沢山ある神経の中のある運動神経一つだけで他の神経は健全に働いている。とすれば、障害という名の荷物は亜也の体の一部分だけであって全部ではないんだよ。

病気の亜也、障害をもつ亜也、ではない。主語は病気、障害ではなく、亜也が主語であることを忘れてはいけないよ。

健康な頭脳と機能を生かしていこうという気持ちをもって、あせらずゆっくりでいいから、着実に一歩ずつ、足を地にしっかりつけて歩くんだよ。

障害との闘いはこれからも続くけど、人生は闘いではない。

楽しみや喜びを味わい、悲しみや苦しみを乗り越えて自分を成長させていく。その過程をどう生きるかが人生だよ。今日は今日しかないことを知って、一日一つだけでいいから満足することができるように心がけていこうね。

寝たきりになるまでの五年間、一つずつ消失していく機能に失望しながらも、残された機能に目を向ける姿勢を持ち続けた。

まだしなければいけないことがあるうちは死ぬわけにはいかないと……。

いつも前向きに生きている亜也の姿は、わが娘ながら立派であったと思う。

苦悩の学生生活

話は少しさかのぼる。

重たいカバンをさげて中学校までの約一キロを歩くことがおぼつかなくなったころである。

一緒に通学する二女の亜湖が手さげ袋を持ったり、姉に道路の内側を歩くように注意して助けていた。

時々学校を休んで病院へ通っているし、薬も毎食後服んでいるのを見て、他の妹や弟は、口には出さないがお姉さんはどうしたのかと、それぞれ心の中で気にかけているのがよくわかる。

高校も自宅から近い学校を選び運よく入学できたが、将来のことを考えると手放しで喜んでいられなかった。

新しい学生生活のスタート地点に立ったこの時、他の妹や弟に話さなくてはと、思い切って亜也の病気のことを話した。

——亜也の病気は運動神経が働かなくなる病気であり、今の医学では治すことができない難しい病気であること。

食べることも、日常の動作もゆっくりしかできない。一歩一歩進行が目立つようになり、今までのようにお手伝いも一緒にできないと思う。行動のバランスがくずれるけれど、はみださないようにみんなで待ってあげる気持ちをもってほしい。

これからのお姉さんは、勉強の他に病気の治療をやらなければいけなくなったのだよ。

重いものを持ったり、走ったりできない。困っていることがあったら助けてね。

ただし頭の方は病気の影響はないから、勉強でわからないことは今まで通り、どんどんたずねなさいよ。不自由なのは体だけだからね――。

「いつかは寝たきりになってしまう」と、そこまではどうしても言えなかった。病気の姉をもった妹や弟として、自分たちは何をしたらいいか考えてくれればいいと思い、病気のさわりだけを涙をこらえて話した。亜也を傷つけないように、妹や弟に理解してもらえるように、一語一語、言葉を選んで説明した。

妹や弟たちは私の話を真剣に聞いていた。

今の姉の姿からそんな難しい病気は想像できないにしろ、初めて知らされたことに、当惑していた。

しばらく沈黙が続き、あたりは重苦しい空気となる。

病気はどうなるの?

治療すればなおるんでしょう？

お姉さんがかわいそう。

何をしてあげたらいいの？


自分の気持ちをこもごもに話したあとは、すすり泣く声だけだった。


困っている人を見たら手をかしてあげるでしょう。

泣いている友人を見たら、どうしたの？　と声をかけるでしょう。

悩んでいる人に相談にのってほしいといわれたら、話を聞いてあげるでしょう。

自分の心の中にある優しさを素直に行動にうつしていけばいいのよ。

その優しい気持ちをお姉さんが感ずれば、それが大きな励みになり、姉として頑張らなくてはいけないと勇気がわいてくるからね。


　年齢が近いのでみんなよくけんかをしていた。どうしてもっと仲良くなれないものかと悩んだこともあったけれど、この子供たちの一面をみて、みんないい子だ、この優しい心を失わず成長してほしいと願った。

亜也のことはこれからもどんどん比重が重くのしかかってくるだろうけれど、他の子供たち一人一人もしっかり育てあげなければならないと心に誓った。亜也の厳しいスタートと共に私たち夫婦も心を新たにスタート地点に立ったような気持ちだった。

その後、亜也の世話に妹や弟も加わった。

狭い廊下を両手を広げ左右の壁板を伝って体を支えながら転ばぬように歩いていると、急いでいる理加は手の下を「ちょっと失礼」といってくぐりぬけていく。「気をつけりんよ」と後ろから声をかけて亜也と同じようにゆっくり歩いている亜湖。食卓のイスをさっとひいて座らせ、「よいしょ」と押す弟。

クツをそろえたり、カバンを部屋まで運んだり、入浴の時下着を脱衣場まで持っていったり、自分が行動する時、いつもお姉さんは？　と、誰ともなしにこまめに気をつかってくれた。

亜也はどうしている？　どこにいる？　と、私が気をつかわなくても安心していられるようになった。それがどんなにうれしいことか。

話したことを十分理解し、優しい心で行動してくれたと思った。

「ありがとう。ありがとう」

亜也は一日に何回言っているだろうか。

私も「ご苦労さま。ありがとうね」と亜也と同じくらい繰り返し、うれしい気持ちを表わしていた。


健康な子供はそれぞれ成長し、いずれは社会人となって巣立っていくだろう。とり残されていく亜也にみじめな思いや、他の妹や弟たちをうらやましくながめる屈辱感《くつじょくかん》を持たせてはならないと思った。

健康な妹や弟と、病気の亜也との連結器の役目は、大切な親の役割だと思う。親だけが必死になったり、気負ったりせず、いつも家族の問題として話したことがよかったのだと思う。

「お姉さんの力になれるような職業を選んで勉強してるんだよ」

「お姉さん、将来はまかしときんよ。メソメソせんでしっかり病気を治しんよ」

弟や妹たちが口にする自分の将来の中にも、亜也が存在している言葉が生まれてきた。私は、それを実感した。

父の日

ある日曜日のこと、いつものように病室へ行く。

「今日は二時ごろ、亜湖ちゃんが来るよ。理加は宿題が山ほどあるから今日はゴブレイ。今度の日曜日に行くから待っててねと伝言だよ。お父さんは買い物、洗濯、掃除、それに町内の草とりをやってくれてるよ。さあ、今日は亜也と二人だけ。水入らずじゃのう」

と、先ず家族の状況を説明する。亜也が心配するからだ。姉としての気づかいからだろう。

急いで病院へきた私は、洗濯しておいたタオルやネグリジェを忘れてきたことに気づいた。

すでに家政婦さんは帰ってもらったあとだ。ハテ困った。大事なものを忘れるなんて年だなあ。後で取りに行くしかないと思っていたら、夫が持ってきてくれた。

久し振りに会う父と娘はしばらく目を見合わせていた。


「亜也、どうだ調子は？」

という父の言葉に、亜也は体を硬くして文字盤《もじばん》をほしがった。

〈父の日、何もしてあげられなくてごめんね〉

文字盤ではっきりと伝えた。

いわさきちひろファンで、毎年買うカレンダーがベッドからよく見える場所にかかっている。

今日は何月何日、何の日と毎日見ていたんだろうか。

排便の処置、硬直が来るたびにさする胸、腕、それに清拭《せいしき》など病院での亜也の世話は女である私か二女の亜湖しかできない。

黒子で働く夫はなかなか病院へはこれず、日曜主夫となる。

見えないところで働いていてくれる家族がいる。

だからお母さんが私のところへ来ることができるんだ。そう承知している亜也の感謝の気持ちからでた言葉だった。

夫は、込みあげる涙をサングラスでかくし鼻をかんでごまかした。

「このごろ来てくれないね」ではなくて、この期《ご》に及んでも亜也の優しさ、思いやりの心は失われていなかったことを知り、私たちもそれ以上の愛をそそがなくてはいけない、そして亜也の心を見習わなくてはと、心した。

ワンピース

「あなた高校生ですかって、また言われちゃったァ」

成人した亜湖が、若く見られたことがうれしいようながっかりしたような複雑な表情で帰ってきた。

「髪の毛を短くパーマをかけ、少し化粧でもしたら大人らしくなるよ」

「お姉さんも素顔だと中学生に見えるけど、化粧をするとやっぱり大人びた娘さんに変身するもんね」

見れば着ているブラウスもスカートも高校時代のものばかりだった。

不足している衣類があったら買ってあげるよといっても、下着だけでいい、後は間に合っているからという。それでついそのままにしていた。

同じ年ごろの娘さんをもつ職場の同僚の話を思い出す。

成人式の着物に三十万円もかかったとか、友人同士でヨーロッパ旅行へ出かけたとか、みんな青春を大いにエンジョイしている。

短大で寮に入っていた亜湖は休暇となれば家へまっ直ぐに帰り、家事の手助け、病院通いや理加の世話でほとんどどこへも行けない。

遊びに行っておいでといっても、「いいよ、行きたいところがないから」という。

せめて正月くらいは新しいワンピースやクツ、ハンドバッグを買ってあげようとデパートへ誘う。

喜んで誘いにのると期待していたのに、そうほしくないという。

「どうして？　せっかく買ってあげようと思っているのに……」

不満そうな私の顔を見て、

「だってお姉さんはスカートもブラウスも着れないでしょ。わたしばかりが服を買ったら悪いし、可哀想だもん」

成人式の着物もいらない、旅行も行きたいところがないといつも言っていた。

もっと自分の青春を楽しめばいいのにと思っていたが、二つ年上の亜也のことが頭から離れなかったためだったのか。私は亜湖の気持ちを初めて知った。

「お姉さんのおしゃれはいつも一番品のいいネグリジェを着せてあげることにしているの。一着一万円はしているんだよ。何枚もあるんだよ。布団も羽毛《うもう》でしょう。タオルだって一枚一枚選んで買ってるんだよ。だから、お姉さんに気がねはいらないよ」

「本当にいいのかなあ」

「妹が美しくしていれば、姉としてうれしいんじゃないの。一人前の娘になってくれたと思えば安心するよ」

家族みんな、それぞれの立場で心のどこかに亜也が存在しているということがうれしい。どんなに高いワンピースをねだられてもおしみなく買ってやろうと思った。

医師さまざま

転院を数回も繰り返した理由の一つに医師の問題があった。

担当医に亜也の病気と状態を知ってもらうまでは心配だった。数少ないこの病気を初めて診《み》る医師かもしれない。失礼だと思っても「脊髄小脳変性症」の患者を診たことがありますか、と聞く。

発病から今日までの病状の経過を丹念に説明する。

早く対応に慣れてほしいためである。

硬直、嚥下《えんげ》障害、痰《たん》の喀出《かくしゅつ》困難など応急処置が必要なことがたびたび起こることも伝える。

また、治療にあたっては、長年治療して下さった藤田保健衛生大学の山本纊子《ひろこ》先生が、必要あれば亜也に関する資料を送って下さることも伝え、返事を待つ。

外来受診なしで入院するために、最初の説明は濃縮せずに何十分もかけて医師に伝えないと、いつもそばにおれない私は不安になる。

「そうですね。こちらから山本先生に連絡をとります」と言われると、経過を理解し継続して診てもらえるんだと安心する。

「いや、結構です」と返事されると、ブツ切りになりはしないかと不安がつのる。

転院した時と家政婦さんが交代した時は、毎夜病室へ行き、亜也の状態を見ないと心配で眠れなかった。

ある夜、硬直に休みがなく、首から手足はもちろん、胸や腹など全身が鉄板のように硬くなった。

苦しくて痛くて病室の外まで聞こえるほど大きな声で悲鳴をあげる。

「亜也、大丈夫だよ。すぐ治るから」

両手で胸や腕をさすっても、ときほぐすことができない。

枕元のナースコールを押す。

「どうしました？」と看護婦さんが部屋に入ってくる。

「硬直がおさまりません。先生を呼んでください」

「亜也ちゃんどうしたの？　痛い？　そんなに大きな声を出さなくていいよ」

何が起きているのかつかみとれない様子で悠長《ゆうちょう》に話しかける。

「早く先生を呼んで下さい！」

私の強い語調に小走りに部屋を出て行った。

医師をさがしているのかなかなかもどってこない。

顔はまっ赤になってひきつり、体は弓なりになったままどこをさすったら治るというものでもない。

以前、外泊した時、自宅でも同じ状態になりあわてて救急車を呼んで病院へもどったことがあった。あの時と同じ状態が起きたのだ。しばらくして、初めて見る医師が入ってくる。

「どうしました？」

「早く何とかしてやって下さい」

「本人は痛くて胸が締めつけられるので苦しいんです」

立ってみているだけの医師に、

「先生は亜也を初めて診るんですか？」

「今日は当直できたものですから……。この子の病名は何ですか？」

苦しみ、もがいている患者の前でいう言葉だろうか。病名を聞いてじっくり考える事態ではないだろうに……。

看護婦がカルテをめくりながら、硬直時に使用した薬品名を告げている。

「同じ薬を注射して下さい」と医師は看護婦に指示を出す。

十数分たって、やっと処置がなされた。

私は、心臓の高鳴りを深呼吸して整え、ヘナヘナとイスに座り込んだ。

亜也は、神経がマヒしたようにぐったりして眠っている。

硬直時、胸の筋肉が肺の拡張をさまたげ、呼吸が困難になった後遺症だろうか、鼻《び》翼《よく》呼吸をしている。

ホッペを軽くたたき、「亜也、まだ苦しい?」と聞いても目を開けない。

注射をしたあと看護婦に二言《ふたこと》三言《みこと》いって医師はさっさと引きあげて行った。

亜也の脈をとるわけでもない。

首からぶら下げたままの聴診器は飾り物のようだった。

再びナースコールをする。

「呼吸が浅く、つらそうですから酸素吸入をして下さい」

「先生に聞いてきますね」

「注射だけしてさっさと行ってしまうような先生に聞いても無意味です」

医師の指示がなければ酸素は使用できないことは私もわかっているが、その医師の言葉や態度が腹立たしくて、つい看護婦さんに八つ当たりをしてしまう。

病気の悪化でほどこす処置もなく命を落とすのなら仕方がないとあきらめる。しかし、今回のようなことでもしものことがあったらどんなに悔いが残るであろう。

亜也も私と同じ気持ちにちがいない。

昨日や今日、入院した患者ではない。今までも数回あったことだ。

自分が当直するならば、担当医から情報をある程度は聞いておくべきだし、担当医師も、連絡しておくべきではなかろうか。

夜間は看護婦さんの人数も少ない上に、よくわかっていない医師が当直だと知ったら、夜が怖くなった。

医師と論争

N病院に入院して数か月たったころだった。

「T医師です。お話ししたいことがありますので時間を作って病院へ来て下さい」と職場へ電話が入った。

何が起こったのか、病気のことか治療上のことかと思いめぐらし、休暇をとって急いで病院へ行く。

T医師とは、入院当時、担当医だと紹介され数回面談したことはあったが、一、二か月後からは、直接亜也の治療にあたっていたのは大学病院から来ている女の先生だった。担当医が交代したのだと、私も亜也も家政婦さんも思っていた。

その女医の先生とは、時々連絡し合っては面会時間をつくり、「亜也がリハビリをやりたいといっているがどんな運動をしたらいいか」とか、「錠剤は飲み込めないので砕いてやっても薬効に影響はないか」など気さくに相談していたし、医師からも病状や進行程度、それに対する治療方針などの説明をしてもらい、亜也の性格を理解した上で最良の方針で事がなされていた。

やっとこの病院での生活に慣れ、患者、家族、医師のリズムが調和し、不安や心配が消えはじめたころの電話だった。

ナースステーションの一角に、T医師と向かい合って腰をかけた。

「お母さん、亜也さんはとても世話のかかる患者さんです。今ついている家政婦さんはとてもいい人ですから長く勤めてもらえるようにもっと協力して下さい。この人がやめたら、もう来てくれる人はいませんよ」

亜也のことで何か話があるのかと思って飛んできた私は、医師の第一声に、キョトンとしていた。

なぜ呼び出してまで緊急に私に言わなければいけないのかと、頭の中でめまぐるしく考えた。

N病院へきてからは亜也と家政婦さんの波調が合わず困ったこともあったし、交代する時に人手不足で間隔があき、私が仕事を休んで付き添ったこともたびたびあった。病棟婦長やケースワーカーにも相談し、S家政婦会に人がいなければ他の家政婦会に頼むなど対策はないかと知恵をしぼったこともあった。

「わたしは重症で世話がかかるから家政婦さんが長く続かないんだ。もしやめたいといったらどうしようか。次の人が見つからなかったら……」

亜也が動けない体で神経だけピリピリさせて、そんなふうに家政婦さんに気をつかっていたら生きる希望などわいてくるはずがない。

そんな思いをさせたくないために、ガードを固め安心させてやりたくて女医のK先

生と相談していたのだが、病院側は、

「最初の紹介は病院から依頼します。また、不適格だと判断した時は介入しますが、それ以外は、当事者同士で話し合って下さい」との回答だった。

家政婦会へは菓子折を持って何度も会長に会いに行った。無理な要求やぜいたくをいう子ではない、ただ世話がかかるので疲れてしまうのだったら、交代制でもいいから本人に不安を抱かせないように配慮していただけないかと頼んだ。

月一、二回は土曜日に泊まり、日曜日の夕方まで付き添った。あとの休日も、一日中、私か二女の亜湖が世話をしていた。

亜也と一緒に過ごしたかったし、家政婦さんにゆっくり休んでもらおうと思って、せっせと病院へ通っていた。

私の職場はメンバー全員が各ポジションを担当して一つの仕事を遂行している。午前九時にはじまり十二時の昼休みまでは、トイレに走る時間もないほどである。一人休むと誰かが一人二役をやり、昼食もそこそこに午後の仕事にとりかかる。

だから、突然の休暇はメンバーに迷惑をかけるし、私自身も心苦しい。土、日曜日の仕事から解放された日に時間を作るしかない。

主婦としての仕事も山積みである。

長期戦の入院生活だから、家族と家政婦さんの二人三脚で世話をすれば一番ベターだと思っていた。

「先生がなぜ私を呼び出してまでこのことを言われるのか、何かがあったんですか。あったのならそのことから説明して下さい。もっと協力しなさいと言われましたが、今していること以外に何をすればいいのですか。どんな協力の仕方があるのか教えて下さい」

「お母さん、仕事をやめることはできないんですか？」

この一言で、T医師と話し合いをする気力がなくなり、同時に猛烈な怒りが込み上げてきた。

医学と療養、医療の立場に立てない医師だと思った。

何のために家族構成やら患者のもつ背景をこと細かに入院当初に聞くのか。家族が付き添えないのはそれぞれ理由があるからではないか。それも説明済みのことだった。

「主治医と相談します」

「ぼくが主治医です」

「亜也を診察してくれているのはK先生です。T先生はちっとも病室に顔を出していないではありませんか。だから、そんなことがいえるんです。家政婦さんの問題については介入しないと言ったことを覚えていますか。現状も知らないで……。弱い立場にある患者と家族のことを考えず、よく確かめもせず平気でそんなことをいう医師なんて、医療の場で働く医師とは思いません。亜也の主治医とも思いません」

「誰に向かっていう言葉ですか。それが世話になっている病院に対していう言葉ですか？」

「治療するのが病院の仕事でしょ。あなたのような医師のいる病院とは知りませんでした。主治医と相談して今後のことを決めますから、かかわってくれなくて結構です。最後に一言、もう少し医療に携わる医師として勉強することがあることを自覚して下さい」

大声でのやりとりに、看護婦さんは仕事をしているふりをし、声をひそめている。廊下には数人の患者さんが何が起こったのかとのぞきこんでいた。

K先生には大学と連絡をとりながら熱心に治療をしていただいたけれど、それ以外の問題が多すぎた。そのうえT医師と衝突してしまったことで多分K先生にも迷惑をかけるだろう。私は、K先生にあやまった。

私は亜也を預ってくれればいいとは思っていない。一日一日を大事に生きていこうとしている亜也の気持ちを後ろから引っ張るような環境におくことは絶対にしたくなかった。

K先生に転院することを告げ、退院準備をしていると、またT医師が呼ぶ。

「主治医に相談もしないで退院するんですか。受け入れてくれる病院はあるんですか」

「先生と議論する気持ちはありません。転院する病院があろうとなかろうと先生が世話してくれるわけでもないし、お願いなんてする気もありません」

目をつりあげてきびすを返した。しかし、病室にもどり亜也の顔をみると優しいお母さんにちゃんともどれた。

「亜也、家政婦さんの人手不足でずいぶんいやな思いをさせてごめんね。努力したけれど世の中うまくいかなかったね。今度の病院は、絶対にそんな苦労は患者や家族にはさせないから心配しなくていいと言ってくれたの。ちゃんと話し合ってきたからね。明日、移ろうね」

亜也は大きなため息をついた。

自分の将来が次第に細く狭くなっていく。そして、住む場所さえも難しくなってしまった。そんなため息だった。

ひと騒動すんだ後、私は悲しくて一人でワァーワァー泣いた。

期限のある入院生活なら一時のことだと我慢もできよう。医師なら、亜也が回復して家へ帰ることが不可能なことくらいわかっているはずだ。

病院生活は、亜也にとっては生活の場である。病状が重症であればなおさら、生活だけでも安定させなければならないと思う。医療の根源は、そこから始まるのではないだろうか。肉体の治療だけであってはならない。

安定した生活の場所は、弱者といえども自分で見つけ出さなければ求められないことを、いやというほど味わった。

この事件当時、亜也の不安でおののいた姿を思い出すだけで、今でも怒りをおぼえる。

食事

食物を飲み込む能力が低下してきた。

細かく切りきざんで配膳されてくる副食を、さらにミキサーでつぶし、食べる時にスプーンの背でこねまわし少量ずつ口に入れる。

寝たまま顔を横に向けての食事である。

湯のみ茶碗に八分目くらいの食事だが、二時間はたっぷりかかる。

だから、三時の検温の時にも昼食は続いている。

食べなくては体力が低下する。亜也にとって食べることは大事な仕事だ。

もう一度、春風を肌で感じたい。

車イスに乗れなくては外へ行けない。その前に、ベッドに座れるようにならなければ……。

亜也は真剣に食べている。

だから口をつむって「もういらない」をするまでは、冷たくなったおかゆを温めなおしては食べさせる。

食べさせる方も根気と忍耐がいる。

急がせたりタイミングが悪いと、むせたりノドにつまらせたりする。大事《おおごと》になるので家政婦さんも大変な作業である。

一日中食べているようでも、量としては普通の人の一食分にもならない。

ジャガイモとニンジンのすりおろし。鶏肉のミンチ。それらをすり鉢でつぶして煮つけたもの。豆腐とほうれん草のみじん切り。しらす干しをつぶしてバターで炒《いた》めうす味をつけたもの。

こんな限られた材料で料理を作り、タッパーに入れ自宅から病室へ運ぶ。食事に少しでも家庭の味を持ち込みたいからだ。

後から家政婦さんに食べ具合いを尋ねては、食べられる食品の選択、料理の仕方を工夫する。

一口でも多く、亜也が食べられるようにと……。

お正月

正月も病院で迎える。

日ごろ家族と離れて生活している家政婦さんに、正月くらいはゆっくり自宅で過ごしてもらおうと帰っていただく。私と二女の亜湖が交代で昼夜、世話をする。

付き添い用の食事がお正月らしさを感じさせてはくれるが、新年を迎えても新たに抱負を語ることもなく、ジーパンにトレーナーで立ち働く元日は、窓の外を行く晴れ着の人々とは別の世界だった。

一つの家族が病院と自宅とに分かれて正月を迎えるという変則家庭も、今年で三年目となった。

まだ幼い末娘の理加は、物心ついた時からこのアンバランスな家庭に育ち、父と二人で迎える正月を何と受けとめているだろうか。亜也を哀れだと思うと同じように、この娘に対しても可哀想な気がしてならない。

四年前までの正月は何とか帰宅でき、数日間でも家族と一緒に過ごせることを楽しみにしていた。

六帖の和室は一定の温度と湿度が保てるように帰宅する数日前からテストをし、布団の位置など何をどこに置くかをあれこれ準備をする。

病院へ迎えに出発する数時間前から、部屋を温めておく。

信号機が少なくて混雑しない道を確かめておく。病院までの所要時間もはかっておく。

そして、亜也ちゃんアン巻き（毛布でくるくる巻く）を作り、冷たい風にあてぬよう、素早く車に乗せる。

病院を出発する時、自宅に電話で知らせる。

痰《たん》が出なければいいと案じながら車を走らせる。自宅までの二十分が長く感じる。

自宅に到着すると、まるで女王様のような出迎えである。玄関のドア、和室のふすまが侍女によって次々に開かれる中を、アンマキ姫は父親に抱きかかえられ静々とではいかないもののご機嫌でお通りになり、布団に寝かせられる。

久し振りに帰ったわが家をなつかしそうに見わたしている。

雪見障子を開けてやると、庭の方へ顔を向ける。

「ほら、クロ（犬）がしっぽを千切れるほどふって迎えてくれてるよ。長いこと留守にしていても覚えていてくれたね」

うれしさとなつかしさで胸が一杯となったのか涙を浮かべながら、クロに向かって必死で手をさしだした。

すでに両親をなくしている私たち夫婦にとって、姉や妹の援助ほどありがたいことはない。

病気の子供を抱え、盆も正月もない私たち夫婦とその子供たちのためにおせち料理とお餅を届けてくれる。おかげで人並みの正月気分を味わうことができた。

亜也の周りにそれぞれ自分のお餅と料理をお盆にのせ、一人二人と集まってくる。

亜也にも一品ずつ丁寧につぶしては「これキントンよ」と食べさせる。

私は、表向きは帰宅できたことを手放しで喜んでいるような態度でいても、この数日間、無事に過ごせるよう、家族の愛を満喫できるよう、心づかいと緊張が先に立つ。

理加は、上手くなったファミコンを見せたくて亜也の状態におかまいなく、画面を説明しながら楽しんでいる。

弟は、社会人一年生として寮生活しながら働くことの苦労や体験談を布団の端にあぐらをかき、話し込んでいる。

室温の調節や換気、買い物は、夫がさりげなく気をつかっている。

私は、家族と亜也の料理を作る。とりわけコトコトと長く煮る亜也の料理は時間がかかるので、一日中台所に立っているようだ。

二女がゆっくり食べさせる。

排泄の処置や体をふいたり細々した世話はやはり二女と私でやる。

一年のうちのたった五日間だけだ。

わが家に帰ったすべての時間、亜也のために費やしてもまだ十分とはいえないと思い、神経を亜也に集中させた。

亜也は、今度はいつ帰ることができるか、いや、来年の正月はもう帰れないかもしれないと思うのか、家庭の雰囲気や自分の使っていた机、茶碗などを目にしっかり焼きつけているようだった。じっとながめていた。

ご飯を口に運んでいるとしげしげと茶碗をながめている。

そっと、持たせてやる。

「この茶碗は亜也のだよね。家へ帰った時、いつでも使えるようにみんなのと一緒のところにしまってあるんよ。時々お母さんが借りる時があるけどね。亜也が沢山ご飯が食べられるように、この茶碗を使う時は、てんこ盛りによそって食べるんよ。そんなのへんな理屈かなあ」

口の端についているご飯つぶをとってやり、それを自分の口に入れながら、ゆっくりと、できるだけ優しくいたわりながら、おいしく食べさせる。

「めしつぶを握る掌《しよう》　なめる母の愛」（亜也・文字盤で）

まだ在宅療養していたころ、日中一人では寂しかろうと話し相手に白と黒のブチの子猫をもらってきた。

当時わが家の人気番組だった「うる星やつら」の主人公からラムと命名。

亜也の側《そば》にいつもへばりついていたラムは、食事の時も、イスにかけている亜也の足元に座り、手の平にのせてわけてもらう魚の身を食べたあと、ざらざらの舌でペロペロなめていた。

亜也はくすぐったがり、手をひっこめる。その手をラムはさがしている。寝る時も布団を持ち上げると頭からするすると入り込み、ピタッと体をよせ、ゴロゴロノドをならしながら朝まで寝ている。

ラムと寝ると暖かい。こたつみたいといって、とても可愛がっていた。

いつもと様子が違う家族の動きにとまどいがあったのか、開け放しの洋服ダンスの中にひそんでいたラムが、しばらくすると周囲を窺《うかが》いながらソロソロと出てきた。ふすまのすき間から和室をのぞき込み、足を一歩ふみ入れた状態で迷っている。

「おいで」と手招きすると、おずおずと入ってきた。

「アーア」と呼ぶ亜也の声を思い出したのか、部屋が暖かくて居心地がよかったのか、亜也が病院へもどるその日まで入りびたっていた。亜也につきっ切りだったのは、家族の中で、ラムだけだった。

(ラム、もう魚をあげられなくなってしまったの。背をなでてあげることもできなくなってしまって、ごめんね。二人で毎日遊んだよね。ジュータンに爪を立ててガリガリやった時、思わずたたいてしまった。ごめんね。ラムは、わたしを忘れないでいて

くれたんだね。また帰れるといいけど……。ラムも長生きしてね）
亜也はそんなふうに語りかけているようだった。

家政婦さんのこと

発病から五年ほど経《た》った、亜也が二十歳のころである。

そのころは、すでに病気が進行し、発熱や誤飲による呼吸障害などをたびたび起こして、医師の管理下でないとどんな危険なアクシデントが起きるかわからないほど機能が低下していた。

食べる、排泄する、着替える――人が生きていく最低条件の行為も、亜也は人の手を借りなければ何一つできなかった。

重症になればなるほど医療設備や専門医・スタッフが整っている大病院で治療を受けることが理想であるのに、長期間にわたってマンツーマンの介護が必要な患者は、どうしても完全介護の枠からはみ出してしまう。

山本纊子先生が月に一、二回外来担当を受け持っている個人病院を紹介して下さり、やむなく転院した。

この時から世を去る五年間、四回の転院を繰り返し、何十人かの家政婦さんの世話になった。

何十年も携わっている経験豊富な家政婦さんは、慣れた手つきで清拭《せいしき》も着替えもテキパキとやってくれる。新しい人は不安な気持ちを隠しきれず緊張でぎこちないけれど真剣さがにじみでている。

いずれもお互いの人柄と病状を理解するまでは、どちらもかなり神経質になるし、私も心配でならなかった。

病院に荷物を運び入れてから、亜也を車イスに乗せ、院内探訪と称して歩き回った。

「売店も喫茶店もあるよ。食べたい物やほしい物があったらおばさんに言いなさいね。文具もあるからね」とか「この階段から屋上へ出れるみたいだから、天気のいい日は、青空に近づいてらっしゃいね」とすすめる。

どんなおばさんがきてくれるのかしら。

見ず知らずの人と二十四時間生活を共にする。しかも世話をしてもらうために……。

「大丈夫かなァ」と緊張している。なんとかして気持ちを和らげてやりたかった。

そのまま車イスを押して庭に出た。

太陽がまぶしい。亜也の前に身をかがめ、ひざに手をおいて大切な話を切り出した。

「亜也、これからの心構えを言うよ。その一は、世話をしてもらう立場だということを忘れてはいけない。感謝の気持ち、ありがとうの心をいつも持っているんだよ。一緒に生活することに不安はあるけれど、毎日楽しく過ごそうねという心構えでいること。やってほしいことは、お願いするの。最初は言葉も通じにくいかもしれないけれど、何度も言ったり書いたり、理解してもらう工夫や努力をするんだよ。

その二は、もし人間関係がどうしても上手くいかなかったら、お母さんが来た時に話をきくから、ゆううつにならなくていいからね。

普段の亜也でいい、無理しなくていい。沢山食べて、リハビリをやり体力を作ることが入院の第一目標であることを忘れないで頑張るんだよ。山本先生も時々来てくれるんだもの気持ちを強く持って、今まで通りの日程をくずさないようにね。特に食事のことはよく頼んでおくから、説明不足があったら亜也がつけ足してね」

「お母さん、心配かけてごめんね。心細いけど、よくわかったわ。日曜日にはきっときてね」と笑顔になった。

小柄な七十歳のY家政婦さんは、人から「お孫さんかね」といわれるほど親身になって、日常の世話をして下さる。その上に、手の訓練になるからと書くことの好きだった亜也に、便せんやノートを切らさないよう気配りしてくれる。

日曜日に行くと「亜也サマ。亜也ッぺ。うちの姫は……」と、親愛の情をこめた言葉がおばあちゃんからポンポンとび出すし、亜也もニコニコ笑っておばあちゃんに甘えている。その姿をみて、心から感謝し、尊い仕事だと思った。

しかし、その病院は、自宅まで三十キロも離れており、二時間以上もかかる不便さが長期間になると負担となってきた。往復四時間がもったいなかった。

病気の進行を考えると、日曜日しか病院へ行けないことも心寂しく、おばあちゃんとも相談し、豊橋で病院さがしを始めることにした。

この二年間の生活で他人から受けた深い愛情は亜也の心に強く残った。

いつも「おばあちゃん、元気かしら」と口にした。

二十二歳の時、豊橋市のN病院へ転院した。

つたい歩きもできなくなり、物につかまって立つのがやっとだった。

車イスに座り、ローラーのついた移動机を前に置き、本を読む。ベッドの上で布団を丸めて背もたれをつくり半座位で食事を食べさせてもらう。排泄はトイレまで車イスで行く。

そのたびに抱いたり起こしたりする世話が大変だった。

言葉も発音がはっきりせず、意思の伝達も思うようにならず、急を要する排泄は、そのためによく失敗した。

休む暇もない重労働だ。えらい患者についてしまったと感じる家政婦さんは、一、二週間すると用事ができたからとか腰を痛めたといって交代してしまう。

言葉では「亜也ちゃん、用事がすんだらまた来るから待っててね」という。

その度に、「慣れた方だと安心ですのでぜひお願いします」と、私は深々と頭を下げる。

二度と見えないとわかっていてもお願いする立場にある側の礼儀だった。このことは何度くり返されたことだろう。

ある日、私の職場へ、M家政婦さんからキンキン声で電話が入った。

「亜也ちゃんが、私では気に入らないそうです。帰らせていただきますからお母さんすぐ来て下さい」

「ちょっと待って下さい。家政婦会へ連絡をとって交代の人を頼んで下さい」

「誰も手のあいた人はいません。親なら面倒をみるのが当たり前でしょ！」

「亜也がそんな失礼なことをいったとはどうしても信じられません。何かの誤解だと思います。確かめるまで待って下さい。どうしても待てないのでしたら、放って帰って下さい」

おり返し病棟婦長に電話を入れ、状況を説明し、

「きっと亜也が動揺してどうしていいか困っていると思うから助けてやって下さい。仕事のきりがついたらすぐに行くから心配しないで待っているように伝えて下さい」

と頼んだ。

事のいきさつが判明した。

亜也の世話は大変だ。腰が痛くなった、ゆうべは寝られなかったと、何げなく話す家政婦さんの言葉をすべて自分のせいだ、迷惑をかけてしまったと敏感に察知し、土曜日はお母さんに泊まってもらいゆっくり家で寝てもらおうと考えたのだろう。

「家へ帰って……」と、文字盤を指さしたために招いた誤解だった。

言葉に不自由しない人の早とちりと、言葉の話せない子が伝えたい気持ちを最短にして言おうとして生じたいき違いであった。

用件はできるだけ簡素化して短くわかりやすいように頭の中で考えてから文字盤を指さしなさいね、と教えていた私の責任でもあった。

亜也の優しい心は、言葉はなくともいつもニコニコしている表情だけでは伝わらないのだろうか。

他にどんな方法があるのだろうか。そう思ったら、可哀想で涙が止まらなかった。

誤解がとけた後、これからは亜也の気持ちを私が伝えるようにしよう。土・日曜日には、これまで以上に亜也といっぱい会話をしよう。そして、少しでも理解してもらえるように、いろんなことを家政婦さんに伝えていくことにしよう。そう心に決めた。

隣のベッドの患者さんは、交代した新しい家政婦さんに亜也の通訳をしてくれる、亜也のよき友であった。

「今度はいい人でよかったね」

家政婦さんが交代するたびに、さりげなく注意深く様子をみていて私にそっと教えてくれた。

いい人だと聞いて安心した。

病気という荷物がやせ細った肩にくいこむほど重くなってきている。

病気以外のことで悩むことはさせたくなかった。

「亜也、食事は食べさせてくれる？　体はふいてくれる？」など、日常のことを尋ねることによって、家政婦さんを知ろうとした。

最初の時、「世話になる身であることを忘れてはいけないよ」といった私の言葉を忠実に守っているのか、亜也の口から不満は一度も聞かれなかった。

小さなすり鉢にすでにきざんである副食物を入れ、小さなすりこぎでさらに細かくつぶして、おかゆと混ぜあわせた亜也食をお皿に移しながら、

「鳥のエサみたいになっちゃったァ」

と、亜也にみせるユーモアたっぷりの家政婦さん。

いいムードの中で、食欲は旺盛だ。

飲み込みを上手くしないと気管の方へ入ってしまい苦しい思いをするので、せかせてもいけない。早く食べてくれないかと思っただけで亜也に通じてしまう。

二時間もかかるけれど、食べなければ体力がつかないと思って食べさせてくれる家政婦さんだと、亜也のペースを守ってくれる。楽しい食事である。時間を気にしないでゆっくりスプーンを口に運んでくれる。

そして、沢山食べれてよかった、と喜んでくれる。


「お母さん、新発見！　夕食の後、車イスに座らせてバケツにお湯を入れ、足首までつっ込み、石鹸をつけて洗ってやると、亜也ちゃん、夜よく寝るのよ。私も朝までぐっすり眠れるから両得よ、ねえ、亜也ちゃん」

「一日中パジャマでいると病人気分になってしまうから、朝の洗面をすますとトレーナーに着替えるの。さあ、今日は何をしようかな、という気分になるでしょう」

「昼ご飯を食べてから三階へ移ったEさんのところへバラの花を一本持って車イスで陣中見舞いに行ってきたの。三十分も話をしてお菓子までもらってきちゃった」

今日はどんな話をしてくれるかと病院へ行く私の足どりも軽く、毎日があっという間に過ぎる。亜也のにこやかな顔をみて、うれしくなる。

日曜日など私が病院に泊まる時は、家政婦さんと亜也のリズムをくずしてはいけないと、世話の仕方を細々と教えてもらう。

この若い家政婦さんは、亜也の世話を最後に、家政婦の仕事をやめ、家庭にもどられた。

豊橋市には家政婦紹介所が数軒ある。

病院ごとにそのカラーがあり、N病院はS紹介所から派遣される家政婦が大多数だった。

廊下の片隅に置いてあるイスに座り込んで二、三人の家政婦さんがタバコをふかしながら、患者のグチを話し合っている光景をよく見かけた。

亜也が世話のかかる重症患者だという評判が家政婦の間に伝わるのに時間はかから

なかった。

すぐに交代する上に、なかなか来てもらえる人が見つからないことがそれを物語っていた。

家政婦会に足を運び、頭を下げ、何とかして下さいと懇願する日々が続いた。

亜也も不安定となり、病院の中での孤独感と家政婦さんに嫌われてはいけないとわが身を小さくしながら、他人の中で生活していく辛《つら》さを味わうようになった。

「亜也、お母さんと六階から飛び降りようか」

行き詰まりを感じた時、抱き合って泣いたこともあった。

こんなにやせ細って動くこともできない子が味わわなければならない苦労ではないと、私も必死だった。

ケースワーカー、担当医、看護婦など、院内の関係者にすがる思いで相談してもどうしようもないと悟った時、次の病院さがしを始めた。

一年間いたN病院を去る時には、もう自家用車での移動は危険なほど病状が悪化していた。

家に立ち寄ることもなく、救急車の世話になって、同じ豊橋市内の光生会病院へ転院した。

家政婦さんもいろいろだった。単身の人、夫に先立たれ長男夫婦と同居していて主婦は二人もいらないと働きに出ている人、家計のために頑張っている人など、泊まり込みで仕事をする家政婦さんの生活歴も人それぞれだった。

本人の性格もさることながら、家政婦さん自身の境遇が、世話をする時の態度や言葉に表われ、それが患者にいろいろな影響を与えた。

Nさんは、未亡人で苦労して育てた一人息子の嫁と上手くいかず、経済力を持つ強さからか、アパートを借りて一人暮らしをしていた。

息子が親より嫁を選び、家を出るといった時、引き止めてくれず悔しかったといつも話していた。

日曜日しか長時間亜也と一緒に過ごせない私たち家族がいそいそと病院へ行くのを喜ばず、お母さんたちが来ると甘やかすので後がやりにくい、家政婦にまかせた以上は、あんまり来ないでほしいと、心外なことをいわれ、当惑したこともあった。

今日のいい状態が明日も続くという保証のない亜也です。今日という日をできるだけいい日だったと思わせるような生活をさせてやりたい。

過去をなつかしみ、今を悲しみ、絶望感で死への恐怖心を起こさせないような生き方をさせたい。

そのためにせめて頭脳だけは健康であるように、どんな本が読みたいか、テレビは何が見たいか、調子がいいからリハビリを少しだけやりたい、ケーキが食べたい、窓を開けてさわやかな風を頰で感じてみたいなど、望むことがあったらかなえさせてやってほしい。

体は不自由でも頭は正常である。

話すことは理解できるし、ＯＫの返事は指でマルを作る。ちがっている時は指を一本立ててノーのサインを出す。

何か伝えたい時は、文字盤を要求する。

指をさして言葉を綴るから聞いてやってほしい。

動作はゆっくりしかできないけれど、最後までやらせてほしい。

その場でできないことがあったら、私にすぐ電話して下さい。

これだけは、何はさておきよろしくお願いしますと、家政婦さんが交代するたびに強調して頼んだ。

「亜也ちゃんは耳が聞こえないの？」

ある日、洗面所でタオルを洗っていた私に、肺機能低下症で入院している六十歳くらいの患者さんが話しかけてきた。

時々部屋にきては雑談をされていく顔見知りの人だ。

反応が遅いからそう感じたのかなと思って、「どうして？」と聞くと、

「だって遊びに行くと亜也ちゃんが大きな目をあけてにこっと笑ってくれるので話しかけようとすると、家政婦さんがこの子ちっとも言うことを聞かない。頭が正常だと思っているのは親だけよ。ご飯をいつまでも口の中でもぐもぐやっていると、どうしてさっさと食べられんの？　あんたなんかおいて帰っちゃうでね、と本人を目の前にしてひどいことを平気でいうので、耳が悪いのかと思った」という。

聞いているうちにはらわたが煮えくり返ってきた。

水道の蛇口を最大に開放し、両手で水をうけ、ガブガブ飲み、顔を思い切りゴシゴ

シ洗って心を静め、部屋にもどった。

深呼吸をくり返しおだやかな顔を作って、枕元のイスをベッドのそばに引き寄せて、亜也の頭を抱き込む。

「亜也、お母さんにいいたいことあるでしょう。我慢しなくてもいいからいってごらん」というと、同時にみるみる大つぶの涙があふれ出た。

何もいわなくてもすべて理解できた。

そうか、そんなにつらい思いをしていたのかと思ったら、亜也に負けないほどの涙がでて止まらなかった。

「食事も二口か三口しか食べさせてくれない。さっさと片づけてしまう。夜中にお腹がすいて寝られない。声を出すと、何よ、といって怒られる。テレビばかり見ていて顔も拭いてくれないの。部屋にいない時が多いので一人でこわい」

込みあげる感情を制しながら、とぎれとぎれに文字盤で訴えた。

以前、排尿が間に合わずシーツを汚してしまった時、交換する手間に立腹した家政婦が亜也のお尻をたたいた。

同室の患者さんが、「ひどいことをする人だから交代してもらった方がいいよ」といった時でも、亜也は、家政婦さんが悪いんじゃあない、わたしが失敗したんだから仕方がないのと答えたほど自分にきびしい子だ。

この期《ご》に及んでも我慢を続けるつもりだったのか。もうすべてをあきらめる心境でいたのかもしれない。

どうして急に衰弱していくのか、病院を変わって緊張しているせいなのか、あれこれ思い、「ご飯食べてる？」と聞いたことがあった。亜也が答える前に「よく食べるよ」と家政婦が答えた。

泣き顔になる亜也を見ておかしいと感じたことはあった。

硬直もよく起こす。「硬くなると痛くて苦しいのでさすってやって下さい」といった時も、それに答えず平気で食器を洗っていたこともあった。

世話をしてもらう遠慮から、それ以上はいえなかった。

頻繁に起こる硬直。体力低下。

まさか食べることが制限されていたとは想像もしなかったので、担当医に病状悪化からくる症状かとたずねた。医師は、

「食事も食べているという。緊張緩和《かんわ》の薬剤も使用しているんだけれど」と首をかし

げ、「鼻腔《びこう》栄養で少し体力をつけた方がいいかと考えている」とまでいわれたこともあった。

亜也の心をズタズタに傷つけた上、無駄なまわり道をしてしまった。

「亜也、ごめんね。もっと早く気がつけばこんなつらい思いをしなくてもよかったのに。これは我慢しなくてはいけないこととはちがうの。Sさんは自分の仕事を大事にしない人だったんだよね。婦長さんと相談してくるから安心して待っていなさいね」

といい残して、ナースステーションへとんで行った。

婦長さんに経過を説明し、硬直は精神的なものであること、亜也が家政婦さんのグチをいったのは余程のことだから交代してほしいと頼んだ。

快く理解していただけ、担当医とも相談して交代の運びとなった。

私の訴えに半信半疑だった看護婦さんも家政婦さんが交代してから硬直が消失し、少しずつだが頰がふっくらしてきた亜也を見て、心と体のつながりや環境がこれほどまでに状態を変化させてしまうことを知った。

以後は、亜也と家政婦さんの人間関係が上手くいっているか、よく世話をしていてくれるか、私以上に気にかけてくれるようになった。ありがたくて、私はまた安心できた。

入院生活が始まってからこの五年間は、家族にとっても休日はなかった。病院へ行く者、洗濯、掃除をする者、買い物など各々話し合っては分担してやっていた。ほっとする時は夜フトンに入る時間だけだった。

痰《たん》が喉《のど》にかかってとれない。硬直がくる。呼吸が苦しくなる。突然の変化がいつくるか、目が離せなくなってきたこの一年、家政婦さんの心労は並み大抵ではなかっただろう。

少しでも負担を軽減し、亜也のそばにいていただけるようタオルやパジャマの洗濯は自宅に運ぶようにした。

やっかいな子の世話をしてくれる家政婦さんにこれくらいのことしか協力できないのが心苦しかった。

平日は豊橋から二時間近くかかる勤務先から帰宅する夫を待って、三女の食事の世話、後かたづけや風呂掃除などを頼んで、三十分でも病院へ行く。

週一、二回は二女が勤務の帰りに直接病院へ寄り、家政婦さんに風呂へ行ってもらう。

来る日も来る日も病院の中での生活である。健康な人にとっては、ストレスがたまってくる。

風呂に入り、ゆったりしてもらえば疲れがとれ心も休まるだろうと、二女が積極的に行動してくれていた。

ここ数か月世話をしてくれているG家政婦さんは隣町に住む六十歳くらいの小柄でふくよかな方だった。

もの静かで控え目で、それでいて亜也の気持ちを大切にしてくれる。洗髪できない頭髪なのにフケもなくよく手入れしてくれる。体もていねいに拭いてくれる。行き届いた世話だ。

親の私でさえイライラするようなことがあっても、感情をむき出しにしない接し方。疲れているのに決してグチをいわない。

目が充血している。手が少しむくんでいるようだ。踝《くるぶし》に軽い床ずれがあるなど、くまなく全身を拭きながら観察し、看護婦さんに報告し、すぐに処置をしてくれる。

嚥《えん》下《げ》能力がなくなり、食事はもちろん一滴の水さえ口に入れることができなくなった最後の六か月間、亜也の死角になるベッドの足元にイスをおき、かがむような姿勢で食器の音にも気をつかいそそくさと食事をされる。

「亜也ちゃん、体を拭こうね。今日はこのパジャマにしようね」

「手紙がきたよ。読んであげるね」

何をされるにも竹のような細い手を握ってやさしい言葉をかけて下さった。

亜也の世話をしているんだ、という感覚ではなく、世話をさせてもらっているという気持ちがにじみでていた。

家政婦の仕事に徹している。この人の持つ人間性の素晴らしさに、私は数多くのことを教えられた。

このころから、日中でもうつらうつら眠っている時間が多くなってきた。

昭和六十三年五月十九日、昼、苦しむこともなく、すっと自然に呼吸が止まった。

この瞬間さえもこのG家政婦さんは見逃さなかった。ナースコールをし、医師の素早い処置で人工呼吸器がつけられた。

この時から意識不明になった。

連絡を受けかけつけた私に、家政婦さんは状況を説明してくれた。

G家政婦さんは目を離さずに、いつも亜也を見守っていてくれたからその一瞬をとらえることができたのだ。

呼吸は自力でできなくても、亜也は死んではいない。こんなに元気よく心臓が動いているんだ。

「おばさん、本当にありがとう。呼吸停止の発見がちょっとでも遅れていたら心臓も止まってしまったのに、よく見ていて下さった。おかげで、亜也の心臓は動いているのです」

こころからお礼をいった。

死期が近づいてきたこの数か月間、家政婦のことでいやな思いをすることなく、このおばさんの世話がうけられた。亜也は安心して自分をまかせることができて幸せを感じていたことだろう。

〝家政婦さまざま〟

多くの家政婦さんに世話になったこの五年間の体験は、忘れることのできない数々の思いを残した。

五十歳を過ぎるとなかなか就職口をさがすことが難しい世の中であっても、家政婦という職業は、健康な体で泊まり込みが可能な女性であれば、就業することができる。その上、付き添いの必要な老人の入院患者が増加している現在、家政婦の需要度は高い。

そんな状況からか、「病人の世話をしよう」と自ら選択した職業であることを忘れがちになることが多々あったように思う。

子が親を選べないのと同じくらい、患者が家政婦を選んでお願いすることは不可能に近い。良いクジに当たればよかったね、はずれて困った――と賭《かけ》のようなものだ。

この五年間、当たりクジ、はずれクジの経験を何回くり返しただろうか。

最初に世話になった家政婦さんからたった二、三日だけの人まで、亜也は歴代の家政婦さんの名前を覚えていて、「名簿が作れるね」といったことがあった。

それほど世話をしてもらう側にとっては、一コマ一コマが印象に残り、家政婦さんは重要な存在であったということだ。

治ることのない病気を持った若い娘が、病院だけを生活の場として生きていることを思えば、せめていい人間関係の中で楽しい生活をさせてやりたいと願うのは、親心だけではないと思う。

それは技術でもない。経験でもない、その人に愛があるか、豊かな心があるか、弱い者を労《いたわ》る優しい気持ちがあるか、原点はそれだけのことだと、過ぎた今、つくづく思う。

生き方を決める

文字盤

「おォー、おォー」と、亜也が声をふり絞る。

「お茶？　お茶がほしいの？」と聞き返すが、顔をゆがめて否定する。

お茶ではないとすると、「お」から始まる言葉は何かと考える。

「あっ、おしっこ！」といって顔を見ると、

「ウーッ」といって元の顔にもどる。

「おォー」のキャッチが遅かった。

排尿感覚はあるのに間に合わなかった時は、すごくがっかりする。はたから見てわからないような緊急事態が生じたときどうして伝えようかと、不安になるのだろう。

言えない。できない。わからない。

ないないづくしで気分もふさぎ込んでしまう。

成功率を高めるには、亜也がサインを早く伝達できる方法と、周りの人が、そのサインをすぐに読みとれる方法を見つけ出すことだ。

自宅から四つ切りのボール紙とマジックを持ってきた。

表面の三分の二に五十音、下段に0から9の数字と濁点、半濁点。隅の方に裏↓と書く。

裏面には、「お茶がほしい」「おしっこ」「体位をかえる（右、左）」「汗がでた」「パジャマを替える」など生活必需用語を思いつくまま並べた。

赤いテープでふちどりをして、代弁用具が出来上がった。

「指をさしてごらん」

目の前に文字盤を近づけ、手を添えてやると指を這《は》わせた。

手と指の動作が不自由なので、大まわりして目的の近くへたどりつく。文字盤と亜也の顔を交互に見ながら確認し、メモ用紙に一字ずつ書いていく。終わったところで続けて読むと「ちょうほうします」だった。

この文字盤は意思表示の有力な武器として大活躍した。手でなぞるのですぐに黒ずみ、ヨレヨレになってしまう。数度作りかえた。

障害が進み、フェルトペンも持てなくなって日記が書けなくなった時、ワープロに挑戦した。その時、文字盤の配列をワープロに合わせて作り直した。親切な青年、荒木正人さんの好意で懸命に特訓したが、疲れが激しくてワープロは、結局ダメだった。そして、文字盤を指《さ》す速度が徐々に遅くなって、ついに指を動かすこともできなくなった。

亜也が指せないのなら、私が代わって指せばいい。また、工夫した。

文字盤の上段を指し、

「この行にある？」

亜也の目を見て、その行の文字を一字ずつ確かめていく。単語が一つまとまるまでに、二、三十分はかかる。それも、できればいい方だ。疲れてしまい、目をつむってしまうことが多くなった。

頭の中ではスラスラいえているのに、なんともどかしく感じていることだろう。

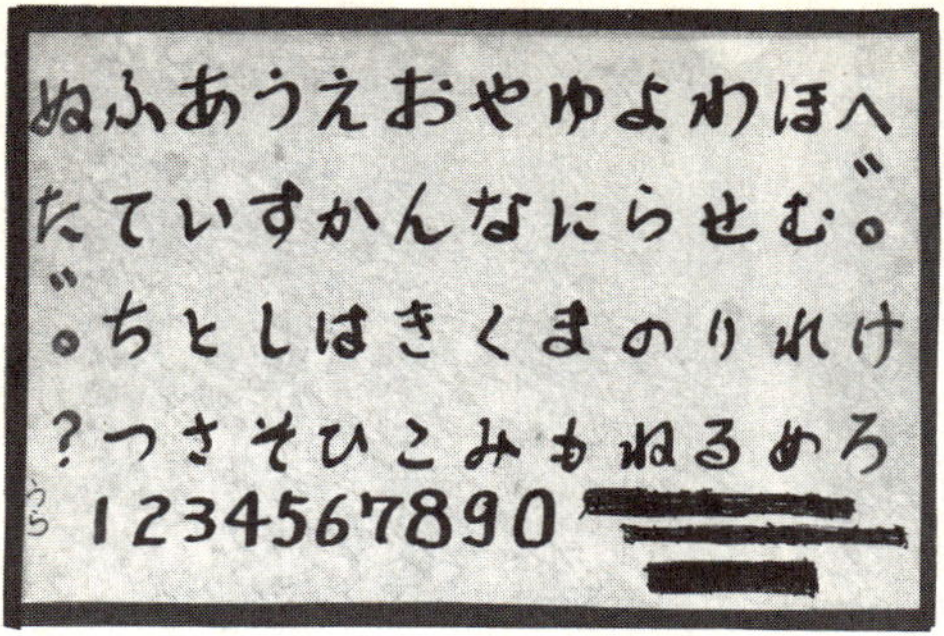

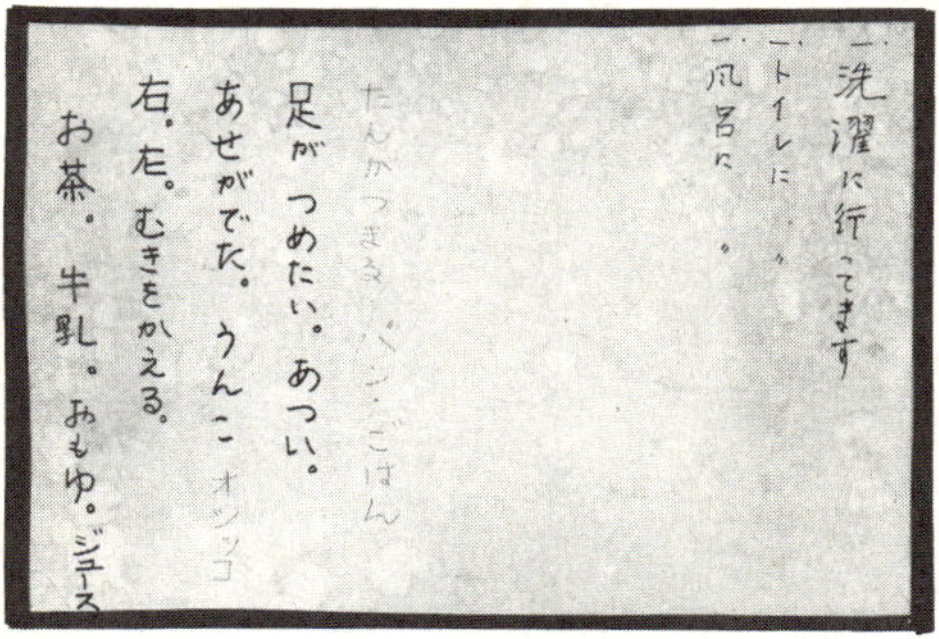

実際に亜也が使用していた文字盤。
表面は平仮名、裏面には意志表示の言葉が並ぶ。

亜也流の会話もこれまでか……。

あんなに話すことが好きだったのに、聞くだけの側にまわってしまった。

枕元の定位置にいつも置いてあった文字盤も、ベッドの下に仕舞われてしまった。

言葉のない会話

日曜日。

急いで昼食の支度をして二女の亜湖と交代するために病室へ走り込む。

ドアを開けると、二人の会話がピタリと止《や》んだ。

「お母さんの悪口いってたナ」

「ちがうよ。ねえ、亜也ちゃん」

「亜也、ウソいったらパチンだよ。ハクションが二つも出たもん」

「お母さんのこと、これっぽっちもいってないよ。年を取るとひがみ根性がモロに出るからやりにくいわネ」

「亜湖ちゃんのいうとおりだよ」といわんばかりに大きな目をキョロキョロさせて体を硬くしている。

「お姉さんがいうなら、ほんとらしいね」

「ウェーッ！　亜也ちゃんは絶大なる信用があるんだァ」

亜也の満足そうな顔を見て、二女は、大成功と意気揚々《ようよう》である。身支度をして、「亜也ちゃん、じゃあね」と帰って行く。

亜也の顔を見るだけで、今日は調子がいいか悪いか、すぐにわかる。

一時でも長く、病気や不自由な体のことを忘れさせてやりたい。

頭脳も感性も、いたって健康なのだ。その頭脳や感性を使って人と対等の会話を楽しませてやりたいのだ。

「病人にそんなことをいって何になるの、負担をかけるだけじゃないの」と周囲に注意されることもあるが、亜也にとっては、普通の会話が清涼剤となるのである。

「理加が算数が苦手で困ってしまう。お母さんに聞くんだけど、中学で習った二次方程式だって忘れているのに、小学校で習ったことなんて何も覚えてないもんね。このごろはすっかりあきらめて聞きにこないけれど、理加、わからないところどうしてるんだろうね。亜也は、そんな時どうしてた？　先生に聞いた？　それとも避けて通ってしまった？　一体、どうしたらいいんだろう。亜也も考えて教えてね」

そのことでさほど深刻に悩んでいるわけではないけれど、「困ったもんだ」と、亜也に相談を持ちかけることに大きな意味がある。

「ちょっと聞いて！　昨日スーパーへ買い物に行って、野菜や牛乳を沢山買ってきたの。家へ帰って料理しようと思ったら、パック入りのハンペンがネバネバしているのでヘンだなと思って、お父さんに臭《にお》いをかいでもらったら〝これは腐敗臭〟だって。この前もお父さんはカビのはえたパンを見つけたことがあるから、もうこれは一言いわなくてはとスーパーへ持って行って〝腐ってるよ、この前のパンもそうだったから気をつけてね〟といったら、店長さんが〝そんな不衛生な物は売ってはいない〟というので、もう許せん。〝お宅の値段表も貼ってあるしレシートもある。そんないい方をするなら明日保健所へ持っていって調べてもらうしかないね〟というと、〝保健所には知り合いがいるからいいよ〟だって。お父さんは保健所で食品などを検査する係だし、お母さんも保健所へ勤めているのにね。思わず吹き出しそうになっちゃった。で、それ以上は何もいえなくなり、新しいのに取り替えてもらったことだし、〝気をつけてね〟といって帰ってきたの。これからは製造月日をよく確かめて買わんといかんね。

その点、亜湖はシッカリしているよ。お母さんがカゴに入れるものをいちいち製造月日を確かめているもんね。まるで小姑《こじゅうと》みたい」

一緒に買い物に行くことがあまりなかったのに、亜也はどこで知ったのか、「奥の方が新しいよ」と教えてくれた。

家族からはみ出さず、自分の存在感を家庭の中の片すみでもいいから失いたくない気持ちを大事にしてあげたい。健康な体で社会生活している大人も、子供も、いろんなことにぶつかり、悩んだり苦しんだりして生きていることをわからせてやりたい。亜也に残された唯一の健康な機能、その頭脳を認めてやりたいから、私はひたすら話をすることに努めた。何でもぺらぺらと……。

病気を離れた会話は、たとえつかの間であっても、亜也の心を安らがせ、生き生きとした目に変える。

「刑務所の中で青空を見ているような気持ちです」(亜也・文字盤で)

本を聞く

東高のころ、体の不自由な自分は勉強することだけが友人と対等でいられることだと学業に励んでいた。

それ以外に、方法はなかった。

何かに打ち込んでいる時は、悩みや苦しみや不安に襲われることはない。

だから、意欲旺盛な亜也は、本も読みたい、古文にも目を通したいし数学もやらねばと、いつも忙しそうだった。

必要な物を近くに置くので、部屋はいつもそうした物で散乱していた。

亜也は、そうした部屋の真ん中に座り、前後左右に手を伸ばし、必要なものを取ってはゴソゴソしていた。

病院へ行く時も、手さげカバンの中にはいつも二、三冊の本が入っていた。長い待ち時間に読むつもりだったのだろう。

隣の私はせっせと子供たちのセーターを編む。時間を無駄にしない生活が身についてしまっていた。

豊橋から二十五キロほど離れた岡崎から、週一回、亜也のために何かしてあげたいと訪ねてくれる女性がいる。

ユーモラスで明るい、三十歳すぎのこの主婦は、余分なことはいっさい言わず、亜也の指定した本を三十分くらい読んで、「じゃあ、またくるね」と帰っていかれる。実に爽やかさんだ。

彼女の来る日を心待ちにして、次は、『放浪記』を家から持ってきてなどと喜んでいたが、熱を出したり、痰《たん》というか粘りのあるダ液がノドに引っかかったりして体調のすぐれない日が多くなり、楽しみがまた一つ減ってしまった。

気分のいい時にいつでも聞けるようにと、本を朗読してテープに入れることにした。山崎豊子著『二つの祖国』上下巻。本を開いただけで気が遠くなるほどぎっしり小さな活字で埋まっている。その本が読みたいという。

間《ま》をとって抑揚《よくよう》をつけ、感情を込めて読まないと、本の良さが失われてしまうと思い、家族が寝静まった深夜、できるだけ可愛らしい声を出して吹き込む。

「亜也、まあまあいけるかナ？」

にこっと笑った顔は、吹き込んでいる時の母の姿を想像し、こっけいに思ったのかもしれない。

人が善意の行為をしてくれる。つつみ込むような愛情をふりそそいでくれる。

亜也はどんなにうれしく、励みになったことだろう……。

「小さな心で　小さな花を
あなたは　うけとってくださいますか
小さな手で　小さな愛を
あなたは　うけとってくださいますか」（亜也・文字盤で）

生きるために

時々病室へ遊びにくる同じ病棟の付き添いの人が、「〇〇号室のおばあちゃん、今朝早く亡《な》くなったんだって」と、なにげなく話しかけた。

急いで亜也の顔を見ると窓の外へ目をやり、青い空をじっと見つめている。話がそれ以上続かないように、「さあ、亜也、体を拭こうね」と会話をさえぎる。

〝死〟と聞いただけで、自分に襲いかかる死を克服できるあてのない亜也は、深刻に考え、不安で心がおちこむ。

〝死〟という言葉は、絶対に聞かせたくなかった。

「食べる能力が消え去る時、自分の生命が消え去る日も、遠からずくる」（亜也の日記）ということを亜也はわかっているのだ。

硬直による痛みと苦しみ、あと幾日生きられるだろうか。不安で心細い。死への恐怖がつのる。

亜也は、家族や世界が遠のいていくような孤独感の中にいるのではないだろうか。

付き添っていた日曜日の午後、亜也は、すがるようなまなざしで、私の顔を見つめ、文字盤で訴えた。

「おかあさんもひとの子だよね。死をこわいとおもうよね」(亜也・文字盤で)

私は、亜也の枕元に頭を並べ、左手で亜也の体を抱くように、上半身だけベッドに添い寝して話しかけた。

「亜也、どんなに小さな赤ちゃんでも、どんなに貧しい人でも、この世に生を受けたからには人間らしい潤いのある人生を送ることが許されているのよ。肉体と一緒に気持ちも衰えていったなら、人間は潤いのある人生は得られないんだよ。ガンであと何日の命といわれたある男の人は、残された日が一日であっても、一週間であっても、今日を人間らしく生きることに努力しようと心に決め、テレビのニュースなども積極的に見たり聞いたりしたそうだ。それで、中学生の息子さんが見舞いに来た時には、ベッドの上で得た知識をフルに使い、議論や意見をかわしたんだって。でも、息子さんに、お父さん何も知らないんだね。僕が教えてあげるよ——といわれてしまった。しかし、今度来た時には、やっつけられないようにもっと勉強しなくちゃと、かえって意欲がわいてきたんだそうよ。そんな話を聞いたわ。

今日という日も、明日という日も、時計で刻むのではなく、心で刻んでいこうよ。頭の中でいろんなことを想像する。楽しいことって一杯あるんだもの。お母さんね、もし宝クジが一千万円当たったらどういうふうに配分して使おうかなと真剣に考えたりしてしまう。夫のある身で、もし木藤さんが好きです、といわれたらどうしよう。相手を傷つけないようになんていえばいいのかな。

〝私には夫も子供もあります〟ちょっと平凡かな？　じゃあ、

〝私はあなたが好きではありません〟これは傷つくでいかん。

〝私は夫を愛しています〟うん、これでいくか。

実際にはありっこない話だよね――」

障害がますます進行していく。

せめて、心の健康だけは失わないようにしてやりたい。襲いかかる孤独感、恐怖感、不安感、それらをすべて忘れることができるように、亜也の頭の中をいつも楽しいことで一杯にしておいてやりたかった。

パンツがはきたい

光生会病院の三〇二号室は、通称「亜也ちゃん部屋」と呼ばれていた。

彼女の部屋は、穏やかな日と、医師や看護婦が器具や注射器を持ってあわただしく出入りする日があった。

その変化はいつも突然で、よくあった。

排尿の感覚もだんだん鈍くなってきた。

家政婦さんから、「今日、排尿カテーテル（バルーン）を入れました」と聞かされた。

若い娘がその処置をする時の恥ずかしさに耐え、自然の排尿を断念せざるを得なかった心境を思うとたまらなくなる。

また一つ奪われた機能を、亜也は何と受けとめたろうか。

「シーツを汚してばかりいると取り替える作業の時、風邪をひくからね。一時的にバルーンをつけ、暖かくなったらはずしてもらおうね」といっても、それは慰めでしかない。

亜也自身が病気の進行によるものとわかっているだけに、かける言葉がなかった。たとえ人を頼らねば生きて行けない身であっても、若い娘として激しい羞恥心はある。

体を拭く時も病室の中から鍵をかけ、安心させてからだった。母親でも胸をはだける時はタオルをかけ、半身ずつ手早く拭く。

「亜也、タダで見せては損だもんね」というと、安心して笑っていた。

しかし、その後カテーテルが邪魔をしてパンティーを脱がされてしまった。大切なところは上からそっとタオルをかけるだけになった。

何とも哀れでならなかった。

医療としての処置はいたしかたがないにしても、彼女の精神的ショックは別のもの、少なくとも亜也が耐えしのんでいる屈辱感だけは何とかしなければと思案にくれた。

可愛い花柄のパンティーを買ってきた。両端にハサミを縦に入れ、バイヤステープで切り口をとめ、ホックをつけた。前開きパンティーの出来上がりである。

腰を持ち上げ下に敷き、ホックでとめてやる。

「亜也、改良パンティーがはけたよ」

亜也は、うれしそうな顔をした。

ベッドの横には排尿量がわかるように目盛りのついた大きなビニール袋がぶらさがっている。細い透明なビニール管には黄色い尿が少しずつ落ちている。

来客があると、タオルをベッドの端からたらし、見えないように隠す配慮も忘れなかった。

献体の決意

隣室に入院している高血圧のおばあちゃんは、九十歳を越しているのに腰はまっ直ぐで耳も聞こえ目も悪くない。

ただ歯が一本もない。入れ歯をはめていないので口を閉じると周りの皮が余ってパクパクおじさんのようになる。

でも、歯ぐきが歯の役目を果たし堅いせんべいもボリボリと食べる。

甘いものが大好物で娘さん（といっても七十歳くらい）、お孫さん（四十歳くらい）、ひ孫（やっと亜也と同年齢）の大家族が代わる代わる沢山のまんじゅうやお菓子を持っては訪れる。おばあちゃんに寂しい思いをさせないように大切にしている。

その度に、「今日は孫が来てくれたよ。亜也ちゃん食べるかい」と報告がてら大福餅やカステラを紙に包んでおすそわけしてくれた。

若いころから病気一つせず、広い田畑を一日中耕していたというだけあって、肩や手首は太くがっちりしている。見事な体格は若さを感じさせる。

私は、そのおばあちゃんの丈夫な体がうらやましい。

ある日、亜也と同じ病気だという四十歳くらいの男の人が面会にみえた。

病気の経過や治療、それにまつわる話題は寝たきりの亜也に聞かせたくなかったので、待合室の片すみのイスに並んで座り、話を聞いた。

「発病当時は大学病院へ通院していたが病状が好転しないし根治する方法もないといわれ、それ以後は病院との縁は切れたままである。

中学生の子供二人、老いた母、妻の生活が自分にかかっている。

働けるうちは働こうと商売をしているが、外交はほとんど妻に助けてもらわなければ成り立たなくなってしまった。

働けなくなった時が、家庭の破滅する時だと思うと、私は怖くてどうしようもない。妻や子供たちがどんなに慰めてくれても、また優しくしてくれたっていやされるものではない。

この気持ちは病気になった人しかわからない。体が思うように動かないと、物を投げたり怒鳴り散らしたりするので、はれ物にさわるように家族はビクビクして、子供も私を避けている。もうすでに破滅が始まっているのかも知れない。家族の心づかいや私を思ってくれる気持ちは十分わかっているし、自分の態度が悪いことも承知しているのに、病気が私を変えてしまった。同病で苦しんでいる仲間なら、きっと聞いてくれるだろう、理解もされるだろう」と一気に話された。

以前、亜也も、病気のために私の人生は狂ってしまったと嘆き悲しんだことがあった。

親にはそれ以上の感情があった。

いまいましい病気を憎んだこともあったし、科学より病気が先行し、人間の犠牲を踏み台にしなければ医学は進歩しないのかと歯がゆく思ったこともあった。

自分から離れてくれない病気なら一緒に歩くしか他に方法はない。病気のために可能が不可能に変わっていく。

それでも生きていかねばならないとしたら、それが自分の人生だと達観するしかない。

亜也も、家族も、その時期を迎えた時、手を握り合って乗り切る決意を確かめ合った。

数々の困難や障害にぶつかっても、共に転び、共に立ち上がりながら今日までこれたのは、亜也自身が「わたしは病気という重い荷物を背負ってひとりで生きていきます」と決断し、頑張ろう精神を持ったからだ。家族は、そんな亜也の姿勢を尊敬した。そして、亜也から放たれるエネルギーに逆に刺激や励ましを受けていたように思う。

以前、北海道に住む十六歳の少年から電話がかかってきたことがある。

言語障害が相当あり、昼は一人で家にいるといって、寂しそうに話していた。

京都の中年の女性は、夫が同じ病気で入院しているので家族のために頑張って仕事をしていると手紙をくれた。

難病で苦しんでいる人は、本当に多い。

「亜也、おじさんも一家を支えながら亜也に負けないような強い心で頑張るからね。よろしく、だって」

病室にもどって、おじさんの話をかいつまんで伝えた。

「病気の人も家族の人も頑張っているんだよ」

同病の人の手紙のことや電話のあったこともついでに話した。

病気のことになると、亜也は教室で先生の教えを熱心に聞くような目で私を見つめ、一言ももらさず聞こうとするので、言葉を選びながら注意深く説明した。

窓から見える青い空。白い雲が走っている。

切れることのない雲の動きをぼんやりながめていた亜也が、そっと文字盤に目を移した。

「わたしの使命がまだ一つ残っている」

病気のことを話した後だけに、何をいい出すかと、私の心臓は高鳴った。

「わたしを灰にするまえに、病気の原因を見つけてほしい！」

「亜也……」といったきり胸がつまって絶句した。

病気で苦しんでいるのは自分一人ではない。原因や治療法が見つからない限り、永遠に病気は人々の幸せを奪いとるだろう。わたしのような人生はもう沢山だ。早くこの世からなくしてしまいたい。病気を治すためなら、喜んでわたしの体を提供します——。

「亜也は、そう決心したんだね」

「うっ、うっ」と目でうなずく。

私は体の震えがとまらなかった。

亜也は、病気にむしばまれながらも周囲の人々の愛にまもられ、今日も赤い血が体内を流れている。

病気が亜也から去るのは、亜也の心臓が永遠に休む時であろう。

終着駅に近づいてきたと感じた。

「亜也が何もできなかった自分の体を医学の役に立ててほしいと願うなら、約束は守ってあげる。献体が絶対に無駄でないことをきちんと調べた上でね。でも、このことは妹や弟にはいってはいけないよ。お母さんと二人だけの約束だから……」

悲しむべき話題なのに、涙せず文字盤を指さした亜也の心情には、病気を憎むのではなく、この病気になった者の使命なんだという固い決意がみなぎっていた。

家に帰り、夫にだけは伝えておかなければいけないと思いながらも感情が先走りどうしても口に出せなかった。

いわなければならない時期がくる。その時には、私も亜也と同じ気持ちになっているだろうと、胸の中に大切にしまった。

一週間後の日曜日。二枚の小さなカードをバッグに入れて病室へ行った。

そのカードを目の前へ出して、

「亜也、お母さんもアイバンクと腎バンクに登録してきたの。角膜や腎臓のほしい人が沢山いるんだって。お母さんの体で目が見えるようになったり、透析《とうせき》しないで元気になれる人がいるんだったら、それも健康な人の使命だもんね」

亜也がニコッとした。涙が頬を伝って流れた。

「いつかは亜也も、お母さんも、他のみんなも死を迎えるんだよ。だけど、死を考えるのは一度でいい。どうしても避けられない道なら、そこへたどりつくまで自然にまかせておこうよ。ねっ、ねっ」

永遠の断食《だんじき》

昭和六十二年十一月。二十五歳。

ついにお茶さえ飲めなくなってしまった。

口を大きく開けても見えないほどの奥に粘液があり、ゴロゴロいっている。

吸引器を入れても取れない。

呼吸が苦しくなり、鼻翼《びよく》を広げる。硬直がくる。

苦しそうな表情になり、竹のように細く硬い腕で布団を持ち上げる。

吸引器の圧力を上げ、先端を無差別にノドの奥へ差し込む。

ジュルジュルと糸をひく粘液を吸い込み、引っぱりだす。

ホッとする間もなく、また同じことをくり返す。

鎖骨のあたりに刺された太い注射針はガーゼでおおわれ抜かれることなく、四六時中カロリーを補給している。

綿棒に少し水を含ませ、荒れた口の中を拭いてやる。数滴の水、ダ液、それさえもノドを通らず、ゼロゼロを起こす。

部屋のすみの流し台は濡れることがなくなった。

ガスコンロの上には物が置かれた。

冷蔵庫の中も、ガランとなる。

胃は丈夫なんだからお腹がすくだろうと思う。ケーキも食べたいだろうなあ。

「お食事をどうぞ」

食事を配膳室まで取りに来るようにスピーカーから流れる。

食べることがこの部屋からは消えたんだ。

切れるものならスイッチを切ってしまいたかった。

以前にも数回、絶食したことがあった。

その時は、熱のためや痰《たん》が出るためで、誤飲すると危険だから一時的にそうしただけだった。また食べられるという望みがあった。

今度は違う。食道と気管の分かれ目の働きが消失してしまい、空気も食物も無差別に入ってしまうからだ。

永遠の断食！

口が口でなくなってしまった。

家族は、自宅に帰ってから食べられるが、三度の食事を病室で食べる家政婦さんが一番つらかろう。

家族は、暗黙のうちに病室では水一杯飲まなくなった。

たとえ亜也が眠っていてわからなくても、気持ちがそうさせた。

数年前、付き添って病室で泊まった夜のことだった。

やっと亜也が寝ついたのでお茶を飲もうとした。お茶うけのせんべいの袋をそっと破いたつもりだったが、亜也は目をパッチリ開けた。

「何を食べてるの？」

「内緒でせんべい食べようと思ったのに見つかっちゃった。あーあ、損した。食べる？　寝る前だから一枚だけよ」

思い出したら切なくて胸が苦しくなった。

亜也が歩くことができなくなった時、でも、鉛筆を握って書くことはできるんだからと、歩くことをあきらめた。

フェルトペンで字が書けなくなった時、でも、口と文字盤を使って何とか話はできるからと励ました。

その手も、指も、動かすことができなくなってしまった。

わずかに残っているのは、食べる力だけである。それだけは奪わないで……。

食べることができなくなったら、まだ病気でない耳や目、頭脳まで衰えてしまう。

亜也は生きていくことができなくなってしまう。

もとの丈夫な体にもどりたいと欲張ったことは望まない。命だけは、なんとか永らえさせてほしい。

食べる力だけは、もっともっと持ち続けていたい。

亜也は、まだまだやりたいことがあるはずだ。

最後の能力だけは、もう少しだけ、生かしておいて下さい。

亜也と私たちの切なる願いを、病魔は聞き入れてくれなかった。

亜也は、もう仕方ないとあきらめているのか食べることに無関心を装っていた。

三度の食事をなくしたことによって、生活のリズムは乱れ、時間の感覚も気にしなくなった。

むごい言葉

朝夕きまって、看護ノートを持った看護婦が今日の状態を聞きにくる。

「気分はどうですか？　排便の回数は？　食事の量は？」

もう何日も食事の欄は斜線が引かれているのに、無神経な質問にひどく腹が立つ。

「食べていません！」

精いっぱい穏やかにこたえる。

けげんそうな顔をして突っ立っている若い看護婦を追い出すように病室から出て行

ってもらった。

亜也は、表情も変えずにじっと天井を見て聞いているけれど、その言葉によって亜也の感じとった悲しみの深さと衝撃を考えると、私は亜也に背を向け、窓の下をのぞくような振りをして涙を流した。

セーターの袖でそっと涙をぬぐい、目をつむっている亜也の顔を見ながら、静かに病室を出た。

私は、ナースステーションの入口に立っていた。

さっきの看護婦を横目でにらみ、先輩らしき看護婦の前に突っ立った。

「看護記録を書くために病室を機械的に回っているのですか。食べたくても食べられない、何日間も絶食している患者に食事の量を聞く無神経さは看護婦として恥ずかしくはありませんか!」

「新しい人だったの。ごめんなさいね」

「そんな問題ではないでしょ。新しい人ならなおさら予備知識をもつ姿勢が大切ではないんですか? その言葉で患者がどんなに傷つくか、もう少し考える看護婦になって下さい」

いつも世話になっている看護婦さんにぶつける言葉としては強すぎたかもしれないけれど、亜也があまりにも弱くなっている上に私の神経も高ぶっていた。また、同じ医療に携わる者としての怒りも感じた。いい看護婦に育ってほしいという願いもあったから黙っていることができなかった。

障害が目立つようになったころ、世間から受けるつらいことにも耐えられるように強くなろう精神で乗り越えてきた。

今は、もう事態が違うんだ。

生きるためにだけ動いている心臓と肺。

精神はただそれだけのことで精いっぱいなんだ。

どんなに些細なことであっても亜也を苦しめたり悩ますものは、たとえそよ風であっても病室へ入れたくはない。

限りある生命の終わりが、そう遠い時期でないと感じた私。その姿勢は、周囲の人にとっては、こわいお母さんとしてうつっていたことだろう。

休まずポトポトと落ちる点滴は、メインの大きなビニール袋のほかに乳白色と透明なビンが重なり合ってぶら下がっていた。

また、ビニール管の途中からは、大量の薬液が体内に入れられている。血液の色がちゃんと赤色に保たれているだろうかと心配になるほどの量だった。

口から何もとれないのだから、これだけのことをしないと生命が維持されないのだろう。

食事ができなくなってから一か月すぎたその年の暮れ。

「点滴だけではどうにも補えない成分があります。高カロリーの食品（液状）を鼻からカテーテルを入れて胃へ入れる方法をとらないと衰弱がすすみ、そのために褥瘡《じょくそう》もひどくなって、発熱もします。回診の時、亜也さんに説明しました。一度入れてみていやだったらすぐ取ればいいからともいいましたが、顔をゆがめて抵抗しました。お母さんからすすめて下さい」と医師にいわれた。

以前、「こんど呼吸困難があったら気管切開をします」といわれた時も、血管が細くなってしまい数回針を刺された時も、「やめて」と抵抗せず受け入れていたのに、今回、なぜそんなに全身で拒否する態度をとるのだろうか。

今より少しでもいい状態になると医師はいっている。

体力を回復させれば座れるようになる可能性があると説明しても、きりっとした瞳で私の顔を見つめ「うん」とはいわない。

その話をしようとするだけで、やめてほしいという表情をする。

「亜也がいやなことは無理じいしないから、そんなに硬くならなくていいよ。先生に断わってくるね、それでいい？」

ほっとした顔になった。

病室のドアを背で閉め、どっとあふれる涙を押さえることができなかった。

亜也は、自分の生命の限界を感じとったのだろうか。

苦しい思いをして鼻からはカテーテルを入れ、口からも痰《たん》をとるため吸引カテーテルがさし込まれる。その上、呼吸困難がくれば二本の小さな管が牛の鼻輪のようにつけられる。数本のビニール管が頬を這っている。

そんな自分の姿を想像したのか。

「パッと咲くことのできなかったわたしだけど、二十五歳の娘です。美しくありたい。きれいな娘さんね、といわれたい。自分で自分の生き方を決めたんだ」と、私は亜也の気持ちをつかみとった。

そうだ、今にも灯が消えそうなかよわい炎を細々と燃やしているような人生だけど、自分の思うように生きたいと亜也が願うなら、一日でも一時間でも、この世で一緒にいたいと思う母としての欲望はすてよう。

医師にそのことを告げる。

「医学以前の問題で亜也さんの生き方から出た答えだと思います。意志を尊重しましょう」

と先生に理解していただけた。

医師の治療方針に亜也は初めてさからった。

それを理解して下さった医師に私は深く感謝した。

病気のために人生を狂わせてしまった亜也は、恐怖と不安を抱きながら病気に負けまいと闘ってきた。何とか生きる道を見つけだそうと懸命に頑張ってきた。

病魔はその努力をかってはくれなかった。認めてもくれなかった。

必死にふりしぼってきた精神力は力が尽きてしまったのか。

すでに病気と闘う体力がなくなってしまった今は、受け入れるしかないのか。

亜也は、今度こそはダメかもしれないと運命のなすがままに身をまかせてしまおうとしているようだった。

心で綴った日記

わたしは何のために生きているの

国立名古屋大学付属病院に一回、藤田保健衛生大学病院に二回入院したが、その入院は、精密検査や注射による治療、機能訓練など目的をもった入院だった。不自由ながらも、食事も排泄も一人でできた。

車イスに乗って仲良くなった患者さんの部屋へ遊びに行ったり、売店にお花を買いに行ったり、病院という狭い社会の中でもそれなりに楽しみを探し行動の自由を味わうことができた。

日曜日に家族みんなで病院へ行くと、楽しかったことを細々と話し、私たちに「心配いらないよ」とそれとなくいっているようだった。

二十歳の秋。

今回の入院は、付き添いが必要となった。

転院したばかりの慣れない病室のベッドでぐったりと横たわった亜也は、天井の一点をじっと見つめ、もの思いにふけっているようだった。

病気はますます進行して、すでに一人では生活できなくなってしまった。

——新しい主治医は、珍しいといわれるわたしの病気をわかってくれるだろうか。

——何としてでもよくなりたい。リハビリを続けるための設備は整っているだろうか。

——どんな人が世話をしてくれるのだろうか。言葉がかなり不明瞭になってしまったが、通じなかったらどうしよう。

亜也の胸の中は、病気の勢いに負けそうだった。将来のことを考えると不安で、どうにもならないほど心がふさぎ込んでいるのが、表情からよみとれた。

私は、何といって慰め、励ませばいいのか、言葉を探していた。

しばらくして、亜也は私の方に顔を向けた。枕元のテーブルを指し、ノートとフェルトペンを求めた。このころは、鉛筆やボールペンで書くことができず、柔らかいフェルトペンを握りしめて書くのがやっとだった。

三十分くらいかかって、大学ノートの一ページにやっと書きとめると、きりっとした目を私に向け、ノートを差し出した。

必死で書いたのに乱れた文字だった。でも、はっきりと判読できた。

「わたしは何のために生きているのだろうか」


亜也は、治るものと信じて数種類あるカプセルや散薬をオブラートに包んで服み、つらいリハビリにもなりふりかまわず頑張った。

体は不自由になったけれど、書くこと、見ること、聞くことはできる。ヘレン・ケラーだって三重苦を克服したんだ。失われた機能に未練をもつより残された能力を大切にしていこう。

しかし、食べさせてもらい、生かされているだけの人生。目標も生きがいもない。受動形の人生に変わってしまうには若すぎる。自分には放つ光は何も残っていないのだろうか。

だったら、これからどう生きて行けばいいのか。いや生きている価値さえないので

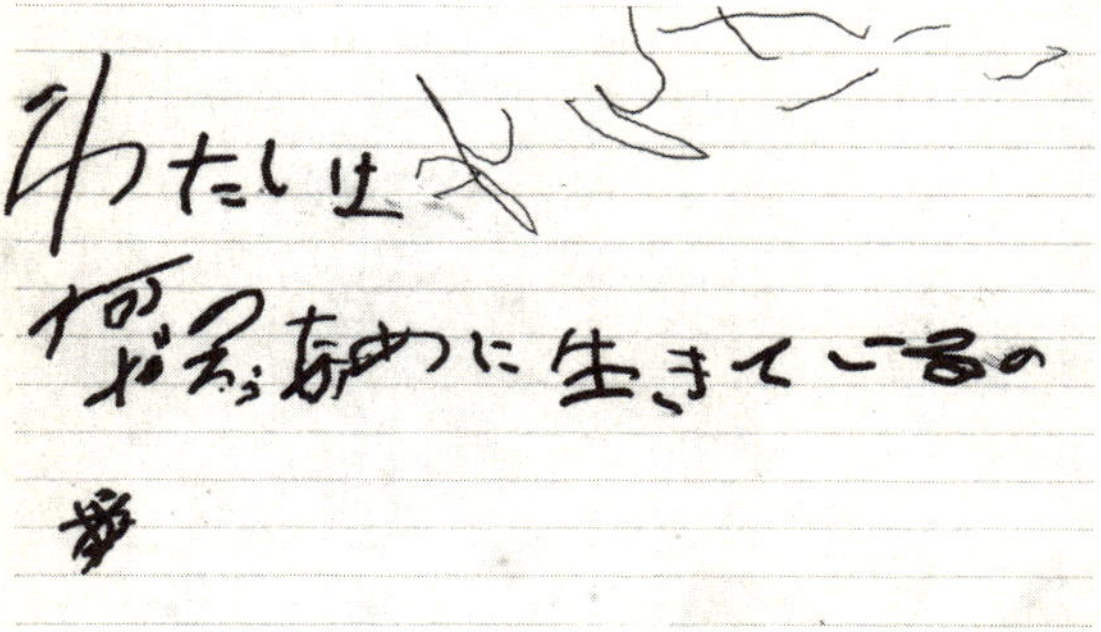

ペンを持つ手にも力が入らないようになる。常に前向きに自分自身や周囲を励まし続けた亜也だったが、この一文から深い絶望が覗く。

はないだろうか。

亜也の人生を総まとめにした言葉だった。

私も思っていた。

この子は病気で苦しむために生まれてきたのだろうか、と。

いや違う。そんなはずはない。

だけど、このままだったら一生懸命に勉強や苦手な運動をしてきたことが何一つ役に立つことなく終わってしまう。どんなに無念で悔しいことだろう。

生まれてきてよかった、生きていてよかったと思える、自分の存在価値を見つけてやらなければ、亜也は生きる気力をなくしてしまう。

それは何か。何があるのだろうか。

家族や周囲の者がどんなに優しくしても、亜也を大切な娘だといっても、それで喜びや感謝の気持ちをもつことはできるが、生きる目的にはつながらない。

肉体の衰えが精神的限界を招いた。

「亜也、夏バテで食欲がおちたでしょう。体に蓄えがないから消耗しただけだよ。今からモリモリ食べれば大丈夫！　失望からは何も生まれてこないよ。今は、あせらず、よく食べよく寝て体力をつけることが一番だよ。長期戦で勝負する時は、体力という土台を作らないと長く続かないよ。目やすがついてから亜也の仕事にかかればいい。体調が整ったら、時間が足りなくなるくらい忙しくなるよ。今は、準備期間と思えばいいからね」

私は、そう励ますのがやっとだった。

大学病院で最高の治療をしても回復しないとわかってから、会話の中に〝治る〟という言葉が消えてしまった。

ほんの目先の変化だけに一喜一憂した。そして、今以上に機能が衰えないよう守りの言葉に変わっていた。

亜也が差し出したノートを見て私は頭から氷水をかぶったほど身がひきしまった。と同時に、激しい緊迫感と動揺を覚えた。しかし、私はその心の揺れを感づかれないようにつとめて冷静をよそおった。亜也は、私の励ましの言葉に、「そうね」とこたえてはくれたが、満足するものではないと思った。

「亜也が弱気になるとお母さんにもうつっちゃいそうよ」

荷物を片づけながら冗談っぽくいうと、亜也はやっと笑顔をみせた。

私の頭の中に元気だった小学生のころの亜也が走馬灯のように甦《よみがえ》った。

そのころから自分に厳《きび》しい子供だった。

小学校六年生のころ、散らかった部屋を整理するように二、三度注意したがやらなかった。

私は、亜也をひどく叱った。

亜也は泣きながら整理していた。

しばらくしてのぞいたら机に伏せてまだ泣いている。

「いつまで泣いているの。きれいにしたんだからもういいじゃないの」

亜也は、しゃくりあげながら、

「何度もいわれたのに直ぐにしなかった自分を恥じているの」

自分を責めたこたえだった。

それ以後、私はこの子には大声を出して叱ってはいけないと思った。

また、外で泥んこになって遊ぶより、本を読んだり折り紙や着せ替え人形など部屋で遊ぶ方が好きだった。

本を読んだあと、好きな言葉や印象に残った文章をノートに書き写した。友達と読後感を話し合ったりもしていた。

そのころから日記らしいものを書いていたが、発病した中学三年生のころからは、病状の記録と共に、心の中を日記に綴っていた。書くことで自分を励ましていたのだろう。

ノートなど物を持って歩くことができなくなったころから、居間やキッチンなど亜也の行く所には必ずノートと鉛筆が置かれるようになった。

外へ自由に出歩くことのできなくなった亜也にとって、ノートは自由に遊べる場となった。

二十歳を迎えた時、成人式の通知が届いた。

這《は》うこともままならず、前につんのめって前歯を折ったり唇を切っては血を流していた。

そばに誰かがついていなければ危険な状態にあった亜也には、成人式の通知も窓の外を歩いている振り袖姿の娘さんも見せられなかった。

私は、コタツに座って本を読んでいる亜也をしばらく眺めていた。

「お母さん、どうしたの？」と、にこっと笑って私を見上げる。

今日は成人式だと知っていて何一ついわない心情を察すると、涙がこぼれそうになる。心を静めてから話の口火をきった。

「亜也、おめでとう。選挙権がもらえたんだね。今度選挙があったら必ずつれていってあげるね。だから、新聞の政治欄やニュースもしっかり読まないといけないよ。お母さんは、一人前に成人した亜也をどうやって社会に送り出そうか、考えていたの。病気だから働きに出られない。だったらどうする？

亜也にできることは何だろうか。

そう、書くことはできるね。

それが亜也の仕事だよ。仕事はなまけちゃいけないよ。

食べて、寝て、体力をつける。リハビリもさぼらずにやる。後は仕事をすること。

わかった！

いつかきっと亜也のやりとげた仕事が、人の役に立つ時がくるからね」

成人の日を悲しみの日にしたくなかったし、二十歳の節目に立ち、自分にはやる仕事があるんだという、希望と意欲をもってほしかった。私は、一生懸命に話した。しかし、亜也は、

「お母さん、一つだけ聞いていい？　わたしの書いた日記がどうして人の役に立つの？　わたしは人に話せるほど立派な生き方はしてこなかったし、やれるうちにいろんなことをやっておけばよかったと後悔の連続だった。恥ずかしくてとても人には見せられないわ」

といった。

「病気や障害を持ちながら懸命に生きている人は世の中に沢山いる。亜也もそうした闘病記はたくさん読んだでしょう。亜也も励まされたことがあったでしょう。

お母さんは考えているの。一つには、お母さんの今日までの人生と亜也の二十歳までの人生には大きな違いがある。亜也の歩調は、ゆっくりだが一歩一歩が重い。心を込めて大切に一歩を踏み出してきたと思う。だから、亜也の歩いてきた人生にはお母

さんも教えられたり励まされたりしている。

もう一つは、亜也は生きることに精いっぱい頑張っていると思う。胸を張って言ってもいいと思う」

私は、亜也に書くことをすすめた。それは亜也が生きることだった。

しかし、その後は病気の進行が加速し、成人の日に約束した仕事を具体化する余裕はなく、入院した。そして、もう二度と自宅で生活することは不可能に近かった。

病室が生活の場になるならできるだけ娘らしい落ち着いた環境にして自分の部屋にいるような気持ちにしてやろうと、ベッドの上に座っていても、車イスに乗っていても使える特製の机を作ってもらい取り付けた。亜也はとても喜び、大いに利用していた。

そのころ、文字は、ほとんど読みとれないほど乱れていたが、それでも毎日一度は必ずフェルトペンを握りしめていた。

家から持ってきてほしい物のメモが病院へ行くたびに書いてあった。

そのたびに亜也の使用していた机のひき出しや戸棚をひっかきまわしていたのでは

大変だと思い、持ち物の整理をした。

五十冊ほどの日記帳をダンボール箱に入れ、着ることのないワンピースやスカートと一緒に押し入れの中におさめておいた。

私には高校、中学、小学校へ通う他の妹や弟の日常の世話が待っている。進学問題などもその子たちのためにおろそかにできない。真剣に夫とも子供たちとも話し合った。


小学生の三女の理加が風邪で熱を出す。座薬を入れる。氷枕を作り静かに寝かせる。

「お父さんもお母さんもお仕事だけど一人で留守番できる？」

「うん」といったけれど理加はちょっとさみしそうだ。

「えらい！　お昼ごはんと飲み物の支度をしておくからね。熱のはかり方わかるよね。熱がうんと上がったら電話するんだよ。とんで帰るからね」

めまぐるしい一日があっという間に過ぎていく。

亜也の病状も、調子のいい日が数日続いたと思うとまた発熱し、少しずつ体力は低下していった。

亜也を社会に送り出すといってから約二年の月日が流れた。医師や家政婦の問題などで悩んだあげく、やっと光生会病院へ入院できた。そこは亜也にとって安住の場所だった。

そのころは、短い言葉しか理解できない程度まで症状が進んでいた。もちろん書くことはすでに失われていた。しかし精神的には安定していた。

秋だった。澄みきった青空が窓いっぱいに広がり、すがすがしい日曜日の朝、体を拭き、気分がよさそうなのをみはからって話しはじめた。

「妹や弟も将来の進む道を決めてそれに向かって勉強している。一段落したというか、親離れしつつあると思うの。亜也もいろんな問題にぶつかっていやな思いや悩みもあったけれど、やっと落ち着けたと思う。お父さんやお母さんもほっとしている。

亜也、成人式の日のことを覚えている？　〝何のために生きてるの〟と日記に書いたことを忘れてないよね。

お母さん、明日から亜也の日記の整理にとりかかろうと思う。本にするにはどんな手順を踏めばいいかわからないけれど、まず日記をお母さんが読んで、どんなふうに編集したらいいか考えてみる。亜也も構想を考えなさいね。二人で協力してまとめようね」

亜也の了解のもとに作業を開始した。

読みはじめたら涙が止まらずタオルを口にくわえ、声をおし殺した。

亜也のためにやらねばならない。

亜也がくれた私への仕事だといい聞かせながら、深夜までかかって五十冊ほどの日記に目を通した。

日記を書き写す

亜也の日記をまとめようと決めた時から、めまぐるしい生活の中に、一つ仕事がふえた。病院へ行く回数を減らすことはできない。

食卓をおろそかにすれば家族の健康がくずれる。

さぼれることは掃除くらい。洗濯は一日おきにし、買い物は週一回まとめ買いをしようと、時間を作るために生活を工夫した。

主婦が何かやろうとすれば、夫や子供たちにどうしても負担がかかる。亜也が心苦しく思うだろうからと、整理作業は密《ひそ》かにやろうと一日が終わった深夜、机に向かうようにした。

五十冊ほどもある大学ノートの日記帳や広告の裏に書かれたメモなどを年代別に分け、部屋のすみに積み上げた。そして、一山ずつ崩《くず》して、原稿用紙に転写をはじめた。日記は最初のうちこそしっかりとした字で書かれているが、次第に文字が乱れ他の人では判読が難しい。それに一冊の本にまとめるためには、日記の取捨選択が必要である。

人には任せたくなかった。

亜也と一緒にまとめるからね、といった約束もあった。

「進行していく病気をしっかりとらえながら、負けまいとリハビリをやる」

「お母さん、わたし負けそうだよ。助けてェ！」

「将来を考えると夜寝られなくて悶々《もんもん》とする」（亜也の日記より）

悩み、苦しみ、もがいていた亜也の心情が綴られているページは、声を出して泣きながら書き写した。

もうやめたい。日記を整理する作業は、亜也の苦しい日々の再現でもある。感情が高ぶり一行も書き写せない日が何日もあった。もうやめようとも思った。

しかし、「これは亜也のためにやるんだ。自分の感情で決心をゆるがしてはいけない。必死に生きようと頑張っている亜也に恥ずかしくないか」と、わが子に無言の激励をうけた。気をとり直し再び重い鉛筆をもった。

ちょうど半分ほど書き写したころ、亜也が高熱を出した。

抗生物質の連日投与にもかかわらず熱は一時的に下がるだけで、すぐに三十九度の高熱にもどってしまう。

意識ははっきりしているけれど、水も飲めない。

自分の意思で手も動かせなくなっているほど運動神経を失っているのだから、物を飲みこむノドの筋肉も当然マヒが進行している。

誤飲して窒息するのを心配して、絶食となってしまった。

毎年、冬を迎えるころは風邪などの感染が一番こわい。風邪気味の看護婦さんが病室に入ってくると「マスクしてきてね」と必要以上に神経をつかっていた。

そんな努力をしていたのに今年もまた風邪をひいてしまったのか。

昨年より体力が落ちている。今までのように何とか乗り切ってほしい。

「亜也。ガンバレ！」と心の中で叫びながら、手を休めないように書き続けた。

ある日、胸のレントゲンをとる。

医師に呼ばれる。

「肺炎らしい影がみえます。慎重に薬剤を投与していますが、これまであらゆる抗生物質をつかっているので効果があるか心配です。影が広がる傾向がみられたら、手のほどこしようがありません。お母さん、覚悟しておいて下さい」

「亜也！　お母さんのしていることを無駄にしないでおくれ。亜也の中のキラッと光るものを日記の中からお母さんはみつけたんだよ。その光を放ちたいんだよ。だから、肺炎くらいに負けずに乗り越えておくれ。今までも何度も乗り越えたように」

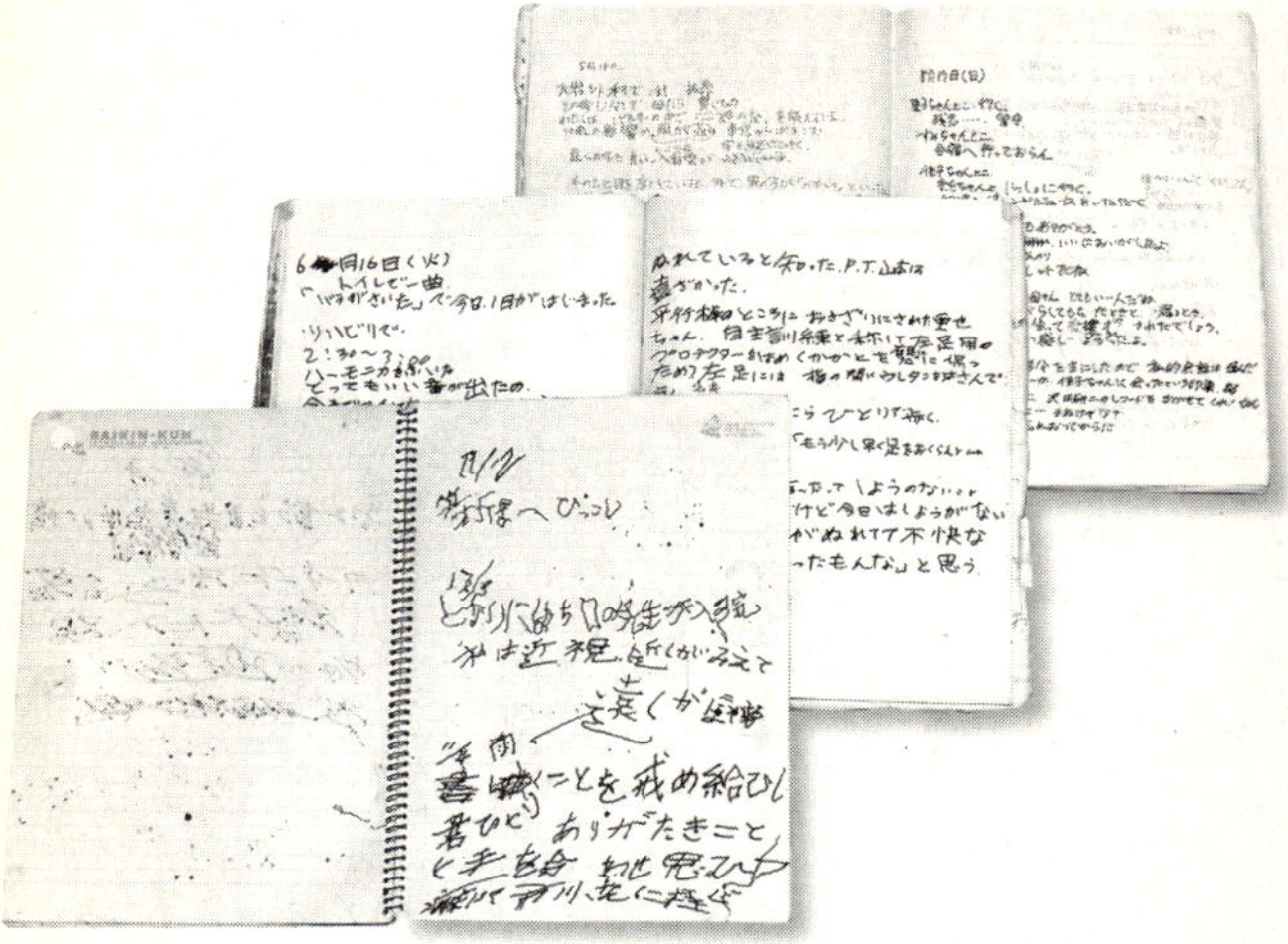

亜也の日記。時を追うごとにペンを持つのが困難になり、文字が乱れていく。しかし、最後まで自分の意思はしっかりと持ち続けた。

私はあせった。

一分一秒も無駄にしたくなかった。

亜也が日記を書いていたころのように、いつでもどこへでも日記と原稿用紙を持ち歩いた。

職場の休憩時間も、亜也の病室でも、そっとペンを走らせた。

秋の初めから書き写しにかかった原稿を写し終えたのは、すでに十二月に入っていた。

数百枚の原稿を出版社へ送った。

四月ごろの出版を予定していた出版社の人も、亜也の病状を知って、一日でも早く出版しようと、正月休み返上で協力してくれた。

この時は、持ち前の気力と、主治医の市川朝洋先生の誠意ある治療が功を奏《そう》し、肺炎の危機を脱することができた。

久しぶりに口にする流動食を少しずつおいしそうに味わえるようになったころ、ゲラが届いた。

　亜也は乱れた字の日記がきれいな活字に変身し、本当に本になるんだという実感がわいてきたようだった。喜びと緊張感が入り混じり複雑な表情だった。

　亜也は高熱にうなされ肺炎と闘っていたので、どんな形に編集したのか、そのころはあまり亜也に聞かせていなかった。

　私は、そうした報告や確認をかねて、亜也にゲラを見せた。

「お母さんが、亜也の日記の中から選択して原稿用紙に書き写したの。ゲラを読むから間違いがないか確かめてね。それとも、お母さんが目を通せばいい？」

　亜也は顔を歪《ゆが》め、体を硬くする。拒否するときの表情だ。

「そうか、人まかせでは亜也の仕事でなくなるものね。お母さんは、亜也の協力者だったことを忘れていたわ。ごめんね」

　目次からはじまり、どの日記帳から写したかページをめくりながら説明した。

　数日かかって目を通し、やっとＯＫのサインを出し、にこっと笑った。

　先を急ぐあまりに本質を忘れていた私を、亜也は戒《いまし》めてくれた。

親は、子のために何かしようとする時、こんなにもエネルギーが出せるんだ。

主治医の市川先生も正月休みにもかかわらず、病室をのぞき病状の変化を見守って下さった。頭の下がる思いと同時に、いい人にめぐまれ亜也は幸せだと、つくづく思った。

病状の変動が、編集作業に拍車をかけた。

日記をまとめようと考え、行動を起こしてからこの三か月間、限界ギリギリまで精力を費やした。

『1リットルの涙』の誕生

昭和六十一年二月八日。亜也、二十三歳。

「亜也ちゃん、本が完成したよ。気に入ってくれるかな」

出版社の方が、本を届けに病院を訪ねてくれた。

亜也は、目をパッチリと開け、差し出された本をくい入るように見つめていた。

カバー表紙には、気魄《きはく》のこもった力強いタイトル文字と、神秘的な目の輝きをした、それでいて何か一抹《いちまつ》の寂しさを漂《ただよ》わせる女の子のイラストが描かれていた。

全国各地を放浪しながら即興詩を書き、ほのぼのとしたイラストを描き続けている須永博士先生が装幀して下さったのだが、先生のこれまでの作品とはまた違った強さがあった。

固く握りしめている指を、一本一本さすりながらほどいてやり、その手に本を持たせてやった。

言葉を話せなくなった亜也は、心の中で感激を一人じめにしていたのだろう、大粒の涙が頬をつたわりはじめ、とめどもなく枕に流れおちた。

生涯晴着を着ることもできない二十三歳の娘だが、この感激を青春の花が咲いた一瞬だと思いたかった。

「亜也、立派な本になってよかったね。うれしい?」

身を硬くして、ふりしぼるような声で、「ウウーッ」と声を上げた。

病室の中は、感動の涙とこの出版を喜ぶ人たちで一杯だった。

亜也が懸命に生きてきた証《あかし》が一冊の本になった。私は、この出版で、亜也がこれからも続く苦難の人生を乗り切ってくれること、そして生きる希望につながってくれることを願った。

やがて病室は静寂をとりもどした。

興奮が覚めやらぬ亜也は、昼寝の時間も忘れて、生まれたての本の上に手をのせ感触を味わっていた。

仲良しの看護婦さんがドアを細目に開け、来客がいないことを確かめてからとび込むようにして入ってきた。

「亜也ちゃん、おめでとう。ほんとうによかったね。新聞やテレビのニュースで紹介されていたよ。わたしも早速本屋さんで買ってくるね。病院の人や私の友達にもすすめるからね」

声をはずませ自分のことのように喜んでくれた。そして、いつものようにその看護婦さんは枕元の文字盤を手に、亜也と話し込む体勢をとってイスに座る。

「アリガトウ　デモ　マワシヨミハ　シナイデネ」

「亜也ちゃん、しっかりしとるわァ。わかった、わかった」

看護婦さんも亜也も笑った。

「でも、もし本が売れて印税が入ったらどうするゥ。何につかうの？　それを考えとかんといかんよ」

「ワタシノタメニ　ドコヘモイケナカッタ　カゾクニ　リョコウニ　イッテモラウ」

「亜也ちゃん、泣かせるじゃないの。いまだにかじるスネはないかと思っている私は恥ずかしいよ。亜也ちゃんにはいつも一本とられちゃう」

亜也と知り合ったことは自分の人生にとって忘れられないことだろう。そう語り、彼女は仕事にもどって行った。

読み聞かせ

「本を読んでほしい」という。

出版準備のため日記を整理している時、どんなふうに日記を構成するかとか、文字が乱れて判読できないところを確かめたり、校正の時にゲラの一部分を読んで聞かせたことはあったが、内容の全部はまだ知らせていなかった。『1リットルの涙』は、亜也の日記そのままの内容である。私は、彼女の心を正確に伝えるために一切筆を加えなかった。いわば『1リットルの涙』は、亜也の日記そのものであったから、私はこの本のすべてを亜也に読み聞かせるのがつらかった。しかし、亜也は読んでほしいという。私は、意を決した。

「亜也、読んであげるけど一つだけ約束があるの。過去を振り返ったり、懐《なつ》かしむだけではだめだよ。これからどう生きて行くか、その指標をつかむためにこれまでの苦しかった道を振り返ってみる。あの時はこう考えた。そして頑張った。これからもその時の考え方を生かして行こう。

一人の女の子が病気と闘って懸命に生きている。私も見習おうと冷静な気持ちで聞くことができる？　そういう姿勢でないと読むお母さんもつらい。過去を再現したくないもの……」

しばらく考えていたが、亜也はきりっとした大人の顔つきで私を見つめた。

了解《りょうかい》した、そのつもりで聞く、というこたえだ。

第三者の立場になりきることは難しいことだと私もわかっている。しかし、精神力で命をながらえている今、一日でも長く生きるためには、前向きに〝何かを考える姿勢〟を持たせてやりたい、そう思ったからである。

幼いころ、毎晩寝る前に好きな本をかかえてきては「読んで」とせがんだ、あのころと同じように、ゆっくりとした口調で物語を読むように何日もかけて読んで聞かせた。

亜也も私も、込みあげる感情を必死でこらえた。あまりにもきびしい約束だった。だんだん書けなくなるに従って、文章が短くなっていく。しかし内容は逆にずっしりと重くなる。

ラジカセにユーミンのテープを入れ、小さく流しながらでもないと、私自身がたえられなくなってしまう。

本と亜也の表情をかわるがわる見ながら読み続けた。

亜也の目じりがピクピク動く。ギュッと目をつむる。我慢しているのだ。

客観的な立場に立てなくなっているのである。

そんな時は読者から届いた手紙を何通か読んだり、「ちょっと一服。トイレに行ってくるね」といって気持ちを切りかえた。

亜也には立派なことをいって約束させたのに、私がしっかりしなければ二人とも崩れてしまう。今、崩れてしまったらもう立ち直れなくなるほど弱っているのに……。

私は自分にいい聞かせた。

十数日かかって読み終えたが、しばらくは他の本を読んでほしいとはいわなかった。

そして、自分のこれまでの生き方をふり返ったのだろう、しばらくして亜也は、

「日記を本にしてくれたこと、ありがとう。自分なりによくここまで自滅しないできたと思う。わたしを支えてくれた人がいたから頑張れたのだと思う。読者からも温かい手紙をいただいた。今、ほんとうに良かったと思う。しかし、まだ社会へ参加できたとは感じてないよ……」

文字盤を使って正直な気持ちを語った。

健康な体であれば弟や妹たちのように社会へ出て自分の能力を生かすことができる。

しかし、病気の亜也はそれができない。

あんなに人の役に立つ仕事をしたいといっていたのに一つも果たせないなんて……。

日記を出版すれば人の役に立つのではないか。それが社会に参加することになるだ

ろう。

自分の能力を生かして社会に奉仕することは、病気をしている者でも必ずできるはず。

お母さんは、そう信じているけれど亜也はどう？

人の世話になりっ放しでそのうえ消極的な生き方しかできない人生なんて、亜也の望んでいる道と逆方向でしょう。

弟や妹たちと同じようにわが子を社会へ送り出すのは、親の責任だもんね。

亜也は介護者つきの社会人だけれど、きっとできると思うよ。


出版を決める時、恥ずかしいといって尻ごみしていた亜也をそういってふるい立たせた。

〝社会に参加するんだ〟その言葉で亜也は前向きになる決心をしたようだった。

でも、実感がないという。行動がないのだからそう感じるのも仕方のないことだろうか。

しかし、出版してよかったと思ってくれたことだけでも私はうれしかった。

もう一度書きたい

「亜也ちゃん、今日は三通よ」

看護婦さんが手紙を病室へ配達してくれる。

自宅に届く手紙も一日数十通もあった。出版社へもそれ以上届いているとのことだった。

可愛らしい花が印刷された封筒。たどたどしいけどていねいに書いてある。小学生からだろう。「木藤亜也様」のあて名に、幼い子の心のぬくもりを感じる。

「亜也ちゃん、二冊目を待っています。元気になってまた書いてください」

一瞬、亜也は当惑したようだった。

「もう日記のネタはなくなったよね。長い文章は大変だけど、詩や俳句なら亜也のいうことを代筆してあげるよ。浮かんだらサインだしてね」

その時、

「元気になって、自分の手で書きたい」

ふりしぼるような「グェッ」という声を発しながら、亜也は文字盤で訴えた。もう一度自分の手で鉛筆を握り、書きたいのだ。

さぞ無念だろう。

意欲と肉体のアンバランスに葛藤《かっとう》しながらも、病気に負けまいという気力を感じさせる、力強い声だった。

難題

『1リットルの涙』の出版により、読者の皆さんから実にたくさんのお手紙をいただいた。毎日のように見知らぬ人が面会に来て下さった。

スズランが遠い北海道から飛行機便で送られてきたこともあった。病室はさわやかな香りで満ちた。

こうして寝たきりの亜也ではあったが、心の中の世界は広がっていった。しかし、肉体はそれに反比例してますます衰えていく。

たった一口お茶がほしいだけなのにそれがいえない。そんな時は目を枕元のテーブルの方へゆっくりと回す。お茶の合図である。

上手く飲み込めるだろうか。ゴクンの音を聞き漏《も》らさないようにノドの動きに注意する。

崖っぷちを歩く時のように、とても緊張する。

亜也は緊張したり興奮すると硬直が始まる。先ず首から腕、胸にかけて硬くなり、やがて全身が鉄板のように硬くなってしまう。

胸が締めつけられ、呼吸が困難となる。苦しくてまっ赤になり、悲鳴をあげる。

両手で胸や首や腕をさすってあげる。

「よしよし、大丈夫だよ。すぐ治るからね。ほうら柔らかくなってきたよ」

と優しい言葉をかけつづける。数分して一旦はおさまるが、すぐにまたくり返す。

竹のように細い手足。肉が落ち、骨と皮だけとなった痛々しい体に襲いかかる硬直は、亜也の形相を変えてしまうほどエネルギーを消耗する。

身長百五十三センチ。体重は二十五キロもあるだろうか。

自分の体をながめることができないのが、かえって救いとなる。

軽い寝息をたてている亜也の顔をじっとみていた。

亜也の心の底を流れている真の気持ちを考えると、私は怖かった。

高まる精神、衰える肉体。バランスが大きく崩れてしまった。ますます広がる一方だ。

わずかに残されている能力を絶対に失いたくない。たとえ手だけでもリハビリをやってほしいと望むのだが、それを意欲的な姿勢とみていいのか。あるいはあせりからなのか。

「本が亜也に代わって社会に出て活躍している。本のおかげでいろんな事が体験できたし、素晴らしい人にも会えた。温かい心や優しい気持ちにもふれることができた。感謝しなくてはいけないね」

私も亜也も素直に喜んでいた。

しかしその喜びは、明日に続く光ではない。そのことを亜也はよくわかっていた。

亜也は再び悩み始めていた。

「自分が何もできなくなった現実にぶつかっている。すごく行きづまりを感じる」

（亜也・文字盤で）


「わたしは何のために生きているの」と私に質問した時のように、私は亜也の次の光をさがしださなければならなかった。重くのしかかる難題を亜也はまたもや母親の私にぶっつけ、心の救いを求めた。

ルビーの指輪

細く長い中指に、小さな赤いルビーの指輪をはめてやった。亜也はうれしくてニコニコ顔になった。

まっ白い指に赤いルビーが映《は》えてとても美しい。

布団の中にしまうのは惜しいと、左手を掛け布団の上に出し、時々目の高さまで持ち上げてやると、また笑顔になる。

何度見てもあきずに眺めている。余程ほしかったのだろう。そして、やっとはめることができた喜びにひたっていた。

小学校四年生のころ学校帰りに、車にはねられ血みどろになってぐったりしている小犬をスカートのすそを広げて包み、「お母さん、小犬が死んじゃう」と息をはずませて家へ飛んで帰ってきたことがあった。

一目見て、死んでいるようだった。そんな瀕死《ひんし》の状態だったが、亜也に圧倒されて急いでバスタオルにくるみ「お母さんが獣医さんのところへ走るから、亜也はスカートをはきかえ、留守番していなさいね」と、小犬を助手席に寝かせ、車を走らせた。両手を胸で合わせ、祈っている亜也の姿がバックミラーに映った。

手当てのかいなく小犬は死んだ。

捨て犬なのか、飼い犬なのかわからなかった。

「お母さん、わたし大きくなったらお医者さんになる」

「お医者さんになるにはすごく勉強しないとなれないよ。亜也はできるかな。中学も高校も大学も、ずっと勉強ばかりだよ」

「大丈夫。きーめた」

小学生のころ、小犬事件で将来進む道は医者と心に決め、亜也なりに頑張って勉強していた。

愛知県立豊橋東高校へ入学した。しかし、亜也は学校生活に体がついていけなくなった。

医師になる夢はもう無理だった。それでも多少体が不自由でも大学へは行きたい。学校生活では友人に助けられているが、人を助けたり人の役に立つ仕事がしたい。そのためには日本福祉大学へ進学したい。

亜也は向学心をふるいたたせていた。

障害者手帳は三級から二級へと更新されていった。

岡崎養護学校を卒業するころには、大学はおろか就職する場さえないほど障害は進んだ。すべての望みは夢と化し、寝たきりとなった。

しかし、これまで学んだ数々の知識を何とか生かしたい。でないと一生懸命に教えてくれた先生や助けてくれた友人に申し訳ない。あきらめることなく、自分にできることはないかといつも模索していた。

出版社から印税が届けられた。

「亜也、病気で社会へ出て働く夢は消えてしまったけれど、療養中も自分の生活を大切にしながら生きてきたことが今、実ったよ。このお金は、初めて自分で得た収入なんだから亜也の思うように使っていいからね。ほしいもの、やりたいことがあったらいいなさいね。ただし収入に見合った範囲で計画的にね」

「一ツダケ　ホシイモノガアル。ルビーノユビワ」と文字盤をさす。

〈ルビーの指輪！〉

亜也の同級生もちらほら結婚し、ヨーロッパへ新婚旅行に行ったとか恋人と楽しい青春を過ごしているというニュースは、時々亜也の耳にも入ってくる。

心から友人の幸せを祝福しているけれど、自分をふり返った時はきっと悲しいだろう。

我慢の連続では可哀想だと、いつも「何かほしいものがあったらいってね。地球上にあるものなら何でもいいよ」といっていたけれど、「うん」とうなずくだけで何一つねだらなかった。しかし、この時初めてほしいといってくれた。すごくうれしかった。

自分で選び、自分でお金を支払うことを体験させて買い物の喜びを味わわせてやろうと思い、宝石店に電話をし、事情を話してルビーの指輪を数種類もってきてくれるように頼んだ。

一つ一つ手に持たせ、時間をかけて選んだ。亜也が選んだ指輪は、きらびやかさはなくても小さくて可愛らしい、質素な感じだった。

亜也にふさわしい指輪だった。

指輪を作った時はサイズもちょうどよかったのに、一年後はクルクル回り、知らないうちに指からぬけおちて布団の上にころがっていた。

そっと拾い、ケースの中にしまっておいた。

うれしい便り

自宅療養、入院生活のくり返しで社会体験のない亜也の世間は狭く、友達にも限りがあった。

二十四歳になった亜也の同級生の大半は結婚し、子育てに忙しくなった。数人いた友達もだんだん遠くなり、家族や親戚以外、病院を訪ねてくれる人もほとんどなかった。

そうした中で、わずかな友達と縁を保つことができたのが手紙であった。障害が進み、ほとんど寝たきりとなった亜也の孤独感を、手紙はいやしてくれた。

「時は永遠の流れです。

ただ一つ、人間が時をとどめるために考えだしたものがあります。

それは、字をしるすことです。

そう思うと一時も筆を離してはならないような気になってしまいます」(亜也の日記より)

便せんと封筒は亜也の生活必需品である。買い物のたびにねだられた。

亜也は手紙中毒症だね、と笑ったこともあった。

字が書けなくなって、その中毒症も消えてしまった。と同時に、○○ちゃんどうしているのかなあ、どこに住んでいるのかなあ、と風の便りを待つ身となった。

書店に『1リットルの涙』が並びはじめてから数日たったころ、久しぶりに「木藤亜也様」の手紙がわが家に舞い込んできた。読者からの手紙である。

きっと大喜びするだろうと急いで病院へ走り、「亜也、手紙がきてたよ」と手にもたせてやった。

忘れかけていた手紙。きっと自分で読みたかろうと書見台に便せんをはさみ、見やすい位置にセット。アラレちゃん風の丸くて赤いフレームの近視用メガネをかけてやると、一字一字、頭の中にしまいこむようにゆっくり字を追っている。

二通ほど続けて読むと目が疲れ、眼振《がんしん》がひどくなり焦点が合わなくなる。

「明日の楽しみにしようね。おばさんにあずけておくから」

私は、急いでメモを書いて手紙と一緒に家政婦さんに渡した。

「亜也に聞かせたくないような文面があったらとばして読んでやって下さい。書見台で自分で読むといったらおばさんが先に目を通して、亜也が悲しまない内容の手紙を選んでやって下さい」

〝手紙がくる〟。思ってもみないことだっただけに、亜也の感激もひとしおだった。日を追って手紙の数はふえ、一日数十通にもなり、読むことが楽しい日課となった。北海道から九州まで、全国各地から届く便りは、未知の土地柄や季節を病室に運んでくれる。まるで旅をしている気分である。

「やることがあるうちは死ねん」といっていた亜也に、手紙を読むというられしい仕事ができた。

反響に感激

僕はこの本を読んで本当の幸せを知りました。自分はとても幸せなんだということを忘れていました。(Kくん・10歳)

私は祖父にすすめられて『1リットルの涙』を読み、とても感動し、勇気づけられました。

私はいつも仲間はずれにされていました。

生まれてこなければよかったと何度も思いました。

いつもかくれて泣いていました。

でも、これからはくじけずに頑張らなければいけないと思いなおしました。ありがとう。(Sちゃん・11歳)

私は、障害者をみるたびに指をさしたり、笑ったりしていました。

これからは絶対にしません。ごめんなさい。(K子さん・17歳)

私は体が弱く死にたいと何度も考えました。

風邪をひくと発作を起こし、もうダメだとへたばってしまいます。なんて弱い人間でしょう。発作が起きただけでグニャグニャになってしまう。亜也さんのことを思ったら私なんか幸せです。私の態度はとてもはずかしいことでした。これからは弱音をはきません。勇気づけてくれてありがとう。(M子さん・23歳)

私は甘ったれでわがままな性格なのでいじめられたり仲間はずれの中学時代を送りました。

高校三年生の今、大学へ進学するつもりですが持ち前の性格で、目的のない勉強はなかなか身がはいらずいらいらしていました。

そんな時、この本に出会いました。私は、自分の道を改めて見つめ直すことができました。今、私は優しい気持ちでいられます。いつも大きい心でいなければいけないことを教えられました。

心から感謝します。（Y子さん・17歳）

体に障害のない私は、手足が動かないということがどんなにつらいことか考えたことはありませんでした。それほど健康で豊かな生活をしてきたのです。

こんな私が先生にすすめられて『1リットルの涙』を読んで、今までの自分の横着な考え、障害者に対する思いやりのなさにとても情けない気持ちと、何も手を貸さなかったことがくやしくてたまりません。

健康な人たちが何かをしなくてはいけないような気がするんです。私の中で何かが変わったように思います。

亜也ちゃん、がんばってください。（A代さん・17歳）

何かを見つけたいんだけれど見つからず妙にイライラしている時に出会ったこの本は、まさに暗闇の中の一筋の光でした。

亜也さんが「自分に甘えるな！」と一喝《いっかつ》してくれたんです。今、進路を決定する分岐点にいます。

私も人の役に立ちたいという気持ちで一杯です。

やっと自分の進路が見つかったような気持ちです。

ありがとう。亜也さん。（F子さん・18歳）

私は二十五歳で生後五か月の子のママです。

難産が原因だったのかわが子は脳性マヒで発作を起こし、入退院をくり返しています。乳も自分の力で飲めず、私に抱かれても母であることがわからないと思うと悲しくなります。発作を押さえる薬を泣きながら飲ませています。

でもこの本を読んでとても勇気づけられました。

やはり「生きていく」ということが大切なんだ。どんな将来が待っていようと……。

ありがとう。（新米ママより）

私の大事な息子が交通事故にあい一命はとりとめたものの障害者となり、やっと車イスの生活まではこぎつけました。

健康な同級生が結婚した話など耳にすると、私は不幸のどん底にいる思いです。しかし、どんなつらいことにも頑張っている亜也さん。私たち親子を勇気づけ励まして下さって本当にありがとう。（主婦・48歳）

亜也の本を読んで下さった人たちからたくさんのお手紙をいただいた。

小学生から年輩の方まで実に幅広い年代の方々からいただいたのだが、ほとんどの方が、亜也に「ありがとう」と書いて下さった。

亜也は、その言葉にどんなに勇気づけられたことだろう。

病室を訪ねて下さる人も、一日に四、五人にもなって、亜也は応対にとまどうほどだった。

お小づかいでお花を買って届けてくれた小学生の女の子。病室を見上げて手を振っていく子。

うだるような真夏のある日、三十キロの道のりを自転車を飛ばしてお見舞いにやってきた大学生。青年の体からは汗が噴き出していた。

病院の一隅に横たわり、世間から遮断《しゃだん》されていた亜也にも社会の風が吹き込んできた。

亜也は、新しい友ができたような喜びを味わっていた。

そして私たち家族も、この予期せぬ反響に感謝し、ほっとしていた。

素晴らしい出会い

山本纊子先生

国立名古屋大学病院の祖父江逸郎教授の診察を受け、病名が判明した。服薬しながら経過をみることとなり、病院へは月一回の受診となった。

その時から、主治医は山本纊子《ひろこ》先生になった。

ショートカットのよく似合う、メガネをかけた小柄な先生だった。

亜也は診察室のイスにチョコンと座って、何をいわれるだろうと心配そうな顔をしていた。

私は、亜也の肩をさすって緊張をほぐしてやった。

先生の目をじっとみながら握りしめていた紙切れをそっと渡した。

自分の気になる症状を克明に記録してきたメモだった。

ゆっくりと目を通してから先生は、

「亜也ちゃん、よくわかったわ。これからも体の変化を書いて診察日に持ってきてね。治療の助けになるからね。

薬を少し変えてみるね。二週間後くらいから効果がでてくると思うわ。もし変わりがないようだったら電話でいいから教えてね。

夏休みになったら入院してくわしく検査しましょうね。亜也ちゃん、頑張ろうね」

と、歯切れよく説明し、亜也を励まして下さった。

その後、山本先生は藤田保健衛生大学病院へかわられた。

亜也も時を同じくして山本先生について転院した。

「山本先生には、双子の子供さんがいるんだって。でも、おばあちゃんが家にいるから安心して学会で外国へ何日も行ってこれるし、亜也のような難しい病気を究明する勉強にも頑張れるんだよ」

「先生は、愛知県立明和高校から国立名古屋大学の医学部へ入ったんだよ」

信頼を寄せる山本先生のことが何でも知りたかったのか、また話がしたくてたまらなかったのか、多分、不躾《ぶしつけ》な質問をしたのだろう、仕入れたばかりのニュースを得意げに話してくれた。

亜也は、発病当初は必ず治ると信じていた。だから一日も早く将来への道にもどれるように、数種類の薬をきちんと服《の》み、細かな症状ももらさず記録し、受診するつど山本先生に相談していた。

病気を必死に治そうとする医師と、治りたい一心の亜也との真剣な会話の邪魔をしてはいけないと、そんな時には、私は口をはさむことはしなかった。

やがて体の動きが緩慢《かんまん》となってきた。ひざの関節がつっ張り、足首のまねきも悪い。よく転ぶようになって生傷がたえなかった。

あまり不自由にしているので、私はつい手を出してしまったこともあった。

「おんぶしてあげようか」

一瞬、亜也は背中にまわり肩に手をかける。

しかし、「体はできるだけ動かしなさい」といわれた山本先生の言葉を思い出し、

「ありがとう。でも、頑張るから……」

と激しい痛さで涙をポロポロこぼしながら壁を伝い、足をひきずるようにして歩いた。

家族のみんなも亜也に協力した。

歩き始めの赤ちゃんのように両手をつないで向き合い、亜也の手を引っ張った。赤ちゃんだったら「歩けたよ」と喜び赤飯で祝うのだろうが、いつの日か歩けなくなるとわかっている私は、たまらなかった。

懸命に歩こうとする亜也の痛々しい姿に、力いっぱい抱きしめてその努力を褒《ほ》めてやりたかった。

しかし、今は出してはいけない感情だと、込みあげる涙を「イッチニィー　イッチニィー」のかけ声と共にのみ込んだ。

筋肉の力が衰え、お腹に力を入れても思うように入らない。深呼吸も小さくしかできなくなった。

唇や舌の動きも思うようにならず、か細い声で「オ、カ、ア、サ、ン」と区切ってしか発声できなくなる。飲食物も気管に入り、咳《せ》きこむことが多くなってきた。

ハーモニカを吹いたり、ストローで吸ったり、声を出して本を読んだり、歌を歌うのが日課となった。すべて機能を失わないための訓練である。

どんなに頑張っても、努力しても、病気は徐々に進行していく。

深い絶望感。負けそうになっても、負けてなるもんかと頑張っていた。

このくり返しの中で、亜也は自分の病気の正体に疑問を持ちはじめた。

「治療を始めて一年半にもなるのに、病気はよくなるどころか少しずつ悪くなってきている。本当のことを知るのは怖いけど、知らなければ将来をどう考えたらいいかわからない。だから、今度、山本先生に尋ねようと思う。お母さん、いいかしら」

「治療法に決め手がない難しい病気だそうだよ。日本中の専門の医師で研究班を作り、国も費用を出して研究しているの。先生方も努力しているんだもの亜也も弱音《よわね》をはいてはダメだよ。きっと山本先生は、亜也にわかりやすく説明して下さると思うよ。知りたい目的をきちんと話して聞くのよ」

「うん、もう一度頭の中を整理して目的をしっかりつかんでからにするね」

「この薬は何という薬品名ですか。どんな作用があるんですか。リハビリをすると脳細胞や神経は回復するんですか」

と、いつも遠慮がちに聞いていた。山本先生は、うるさいほどの質問にもごまかしや一時しのぎの回答ではなく、ていねいに、本当のことをやさしく説明して下さっていた。

いつかするであろうこの質問に、どう対処したらいいのだろうか。

山本先生ならきっと亜也の納得のいくように説明して下さるだろう。亜也の性格を一番よく知っている私は、事前に山本先生とそのことについて話し合っておくことにした。医師と親の間に少しでもくい違いがあっては亜也が混乱すると思ったからである。

ガンは比較的短い期間に死に至る可能性が高く患者数も多いことから、告知問題が議論されている。

私は、そのたびに、患者に病名を告知する以前にその人の生活歴や家族の環境、本人の性格、病気をどう受けとめているか、残された人生の中で病気と闘いながら生き方を見つけ出していけるかなど、それらのすべてを考慮し、ケース・バイ・ケースできめることだと思っていた。そして、そのことは、亜也のような難病患者にもあてはまると思っている。

病人を中心に、医師として、家族としての役割と責任をきちんとしておかないと、これからの亜也の人生を無茶苦茶にしてしまうことになる。

そして、その日がやってきた。

「運動障害は回復しにくく進行していく。少しでもくいとめるには、リハビリテーションが重要であること。

言葉もわかりにくくなっていく。何度も聞きなおす人がいても、気にしないでくり返して言いなさい。真剣に聞こうとする人には必ず通じるからね。

機能が消えていくのは、運動神経を支配する小脳と脊髄に原因があるんだけど、残念ながら、どうしてそうなるかまだ研究段階にある。日本の神経内科は外国に比べ出足が遅れているけど、医師たちは精力的に研究している。少し前までは治せなかった白血病も治療しながら普通の生活をして十年以上も生きている人が沢山いるようになったんだから。

いっぱい食べて、よく動いて、体力を落とさないように、頑張ろうね。医師をしている限り、決して亜也ちゃんを見離さないからね」

山本先生は、亜也から出された質問に、言葉を選びながら、慎重に、病気について少しずつわかりやすく説明し、そのあとに必ずおちこんでいる亜也を立ち直らせ支えてくれる言葉をかけて下さった。

医師と患者の関係を乗りこえ、人と人との間に信頼と尊敬が生まれる。それがどんなに大切なことか、私は教えられた。


山本先生には、大学病院を離れ、個人病院へ転院してからも、亜也の状態などを時々電話で報告していた。

忙しい時間をさいて面会にきて下さったこともあった。くじけそうになったり、行きづまりを感じている亜也の心の支えとなり、心から励まして下さった。

転院した先の新しい担当医にも、病歴や治療経過などを連絡していただき、亜也はどこにいても山本先生がついていてくれると、安心して闘病生活を送ることができた。

「医師をしている限り亜也ちゃんを見離さないよ」といって下さった言葉に、亜也はどんなに励まされたことか。

「先生、わたしと同じ病気で苦しんでいる人のために研究をつづけて下さい。そして、今まで、私のために沢山の愛と力を与えて下さったこと、感謝します」

十年の闘病後、若い生命をとじた亜也は、自分の体を信頼する先生に捧《ささ》げた。献体したのである。

須永博士先生

ある日、病室に入ると一枚の大きなパネルが飾ってあった。カラフルな色彩のイラストで、丘の上に女の子が立ち、その周りに野の花がちりばめられている。余白には、力強い筆致で詩がびっしりと書き込まれている。

わたし今
生きること必死です
生命のとおとさ
今日一日の大切さ
あなたを想う恋しさ
一瞬一瞬に
心をこめて
願いをかけて

わたし今
生きること一生懸命です
〝悔いない人生〟をめざして
力のあるかぎり
挑み闘いつづけます

「須永博士《すながひろし》ってサインしてあるけど、どこの人なの？」

私は亜也にたずねた。亜也は「ウッウッ」とこたえ、代わって家政婦さんが話してくれた。

それによると、亜也の障害者の友人と一緒にクリクリ頭のおじさんがみえて、亜也の枕元に腰をかけ、話しかけながらこの詩をスラスラと書いたということである。

そして、その人は、外国や日本の各地で「小さな夢の展覧会」を開きながら一人で旅をしていること。悩んでる人、重い病気や障害と闘っている人たちに詩と絵を描いて励ましつづけていること。ちょうど豊橋のステーションビルでその展覧会を開いているところへ、亜也の友達が立ち寄り亜也のことを話したこと。それで一緒にお見舞いに訪ねて下さった——ということであった。

このところ家政婦問題などで気持ちが沈んでいた私は、声を出して詩を何度も読んだ。

須永先生の詩に、〝お母さんも負《め》げてはいけないよ〟と勇気づけられ、心が洗われるようだった。

その時が、須永先生と亜也との出会いだった。

その後も須永先生は亜也を訪ねて下さった。

ある時は、亜也が歩けないぶん、自分が歩こうと、真夏の炎天下を豊橋駅から四キロほどもある道のりを大きなリュックを背負い、汗びっしょりになって、「亜也ちゃん、おじさんも頑張ってるよ。今度詩集をだすから一番にとどけるから待っててね」と約束していかれた。

ある時は、早朝に立ち寄って、亜也の寝顔をそっとながめ、大きな紙にメッセージを書いて置いていかれたこともあった。

亜也が疲れないようにと、いつも五分か十分でさっと帰られてしまうけれど、旅の話やこれまで出会った素晴らしい人たちの話をして下さる須永先生を、亜也は大好きになったようだ。『1リットルの涙』を出版する時、表紙の題字と絵をどなたにお願いしようかと亜也にもちかけたら、即座に「スナガセンセイ」と文字盤でこたえた。須永先生は快くひきうけて下さった。

仲よしの看護婦さんの一人が、須永先生のファンだった。

夜勤で手があくと、亜也ちゃん部屋へきては須永先生の詩集を朗読してくれる。

「わたし、ここんとこがぐっと胸にくるのよ。もう一度読むから聞いててね」

布団の中で亜也の手がモゾモゾ動くのをみて、

「亜也ちゃんの好きな詩はどれ？」

人さし指を立たせ、詩集をめくりながら「これ？」と指し、顔をみる。

「うん、うん。これもいいよね。うん、いいわァ」と二人の会話ははずむ。

「須永先生に一度会いたいなァ。感激して、私泣いちゃうかもね」

まだ須永先生に会ったことのないその看護婦さんは、亜也に熱心に頼んでいたが、いつも風のように突然やって来られ、さっと消えてしまう先生なので、会える機会がなかった。

亜也は、「いい出会いはきっとあるからね」と文字盤を使って慰めていた。
その出会いは、最期の日にやってきた。
言葉は交わせなかったがまさしく出会いである。
亜也を見送る日、須永先生は遠く旅先から駆けつけて下さったのである。
旅立ちの日の出会いだった。

山川豊さん

『1リットルの涙』が出版されて半年ほどたったころ、歌手の山川豊さんから「お見舞いに伺ってもよろしいでしょうか」と連絡が入った。

突然のことでびっくりした。

九州へ公演に行く車中で読んだ新聞で亜也のことを知ったらしい。早速、佐世保《させぼ》で本を買い求め何度もくり返して読んで下さったそうである。

人気が左右し、浮き沈みの激しい芸能界を生きぬくことは並みたいていではない。どんなに打ちひしがれる時があっても、亜也ちゃんのように頑張る。勇気づけられましたと、山川豊さんはおっしゃられる。

でも、亜也はすぐに会いたいとはいわなかった。晴れやかな舞台で咲く大輪の菊より、道端にひっそりと咲く野菊の方が、亜也は好きだった。

二、三日して一通の新聞記事のコピーが送られてきた。

電波新聞で、和田誠司さんという人が書いた記事だった。

「……取材の時は自分の音楽活動の近況を自慢げに、しかも、多少過大評価して語るものだが、山川豊の場合は違っていた。彼は日頃、歌手の仕事のなかで多忙なスケジュールや人間関係、体調……などからくる不満や嘆きを感じていたが、闘病で苦しむ亜也ちゃんの存在を知って、決して嘆くまい、とどんなに辛くともこれに打ち勝つ気持ちを一段と強めたのである。……山川豊は、その本を座右宝のように扱い、読み続けている」と、記事は結んであった。

その記事を亜也に読んで聞かせた。

テレビも雑誌もあまり見ないので、山川豊さんは、亜也にとっては未知の人であった。

ただ、その文面から伝わる優しい気持ちがうれしくて、「お会いしたい」といった。

若い看護婦さんは、雑誌にでている山川豊さんの写真を持ってきて「この人だよ。優しそうな感じね」と教えてくれた。

カラオケの好きな夫は、カセットをかけて「いい歌をうたってるよ。心をうたう人だね」と亜也に予備知識をあたえていた。

背広を着込んでお供を何人もつれていたなら、亜也は緊張のため全身を硬直させ五分もすれば疲労を訴えただろう。

しかし山川さんは、セーターにジーパンというラフなスタイルで、たった一人だった。

「亜也ちゃん、こんにちは。山川豊です」

ニコニコしながら病室に入ってきたお兄さんのような山川さんに、亜也は好感を持ったのだろう、精いっぱいの笑顔で迎えた。

山川さんは、亜也のベッドの横に腰をかけ、ゆっくりと話しかけた。

伊勢の小さな漁村に生まれ育ったこと。魚はたくさんあったけれどコロッケがなかなか食べられなかったこと。歌手を夢見て名古屋で働いていたこと。

幼いころの思い出話や苦労時代の話を、亜也は目を輝かせて聞いていた。

寝たきりの少女と人気歌手という隔りはなかった。心と心がふれ合っているようだった。

亜也も前もって話したいことをメモしていた。代わって私がたずねた。

「山川さんの本名は？　お兄さん（歌手の鳥羽一郎さん）とは仲よくしている？　今、目ざしている目標は？」

山川さんは、メモ用紙に名前を書いた。

「木村春次《きむらはるじ》、面白い名前でしょ」

「兄貴とは歌手としてはライバルだけど、仲はいいよ」

「歌手ならＮＨＫの紅白に出演したい。今年必ず出られるように頑張る。亜也ちゃん、年末にはテレビ見ててね。きっと出るから」

山川さんと亜也の会話ははずんだ。そして、レコードを取り出し、ベッドに顔を寄せた。

譜面を亜也に見せながら、伴奏なしでささやくように「ときめきワルツ」を三番まで歌ってくれた。

山川さんは忙しい中、一時間近くもいて下さった。その間、亜也が疲れていないか、何度も状態を気づかってくれた。

「また来てもいい？」

亜也は指でマルを作り、「ガンバッテ」とエールを送った。

私も、「お母さんを大切にして下さいね。亜也も私を大切にしてくれるんです」といった。

「週に一度は必ず家へ電話します。オフクロは仕事のことは何も言わず、ただ〝体に気をつけて〟ばかりです」と山川さん。

「お母さんにとっては、いくつになっても子供ですからね……」

亜也は、山川さんの素朴で温かい人柄にすっかり心が和んだようだった。

夕方、検温にきた看護婦さんが、

「三階の亜也ちゃん部屋から病院の玄関を出るまで、三十分以上もかかったんだよ。みんなに取り囲まれ、もみくちゃにされていたよ。有名人がわざわざお見舞いに来てくれるなんて、亜也ちゃん偉くなったね。おかげで私たちも会うことができたんよ」と話していく。

亜也の顔が曇った。また人に迷惑をかけてしまったと思ったのだろう、文字盤に目をむけた。

そして、

「わたしは、少しも偉くなんかなっていない」と訴えた。

亜也は、人気歌手の山川豊さんだから会ったのではない。山川さんが夢に向かって人生を頑張っている青年だったからだ。優しい心にふれ、温かい人だと感じたその人が、たまたま歌手だったのだ。

『1リットルの涙』は亜也の分身である。分身は寝たきりの亜也を置いて、全国を旅している。そして、いろんな人たちと巡り合っている。

「亜也は、以前と少しも変わっていないよ」

私は、亜也の気持ちを受けとめ、話し合った。

亜也は、少し安心したのかウトウトしはじめた。

繊細《せんさい》な神経なので軽い言葉や態度にも敏感に反応し、深く自分を見つめていこうとする。

家族は、余分な苦しみや悩みを持ちこまないように、神経をつかう。

亜也の目や顔の表情の変化を読みとり、すばやく防波堤になることもしばしばあった。

その後亜也は、

「山川さんがテレビに出る時は教えてね」

と、彼の活躍を気にかけるようになった。

その年の暮れ。紅白の出場者が決定し報道されると、山川豊さんから亜也のところへ連絡が入った。

大晦日にはきっと見ようね、と楽しみにしていたが、そのころは目覚めている時間がだんだん短くなっていた。

念のために夫にビデオを録《と》ってもらっておいたけれど、ついに見ることができなかった。

亜也は、優しいお兄さんに出会えただけで、よかったと思っていた。

そのやさしいお兄さんから、翌年の誕生日には、可愛らしい花カゴが届いた。

「亜也ちゃん、頑張っていますか」のメッセージを添えられて……。

山川さん、亜也のことおぼえていてくれて「アリガトウ」。

亜也はまた一人、いい人に巡り合えた。

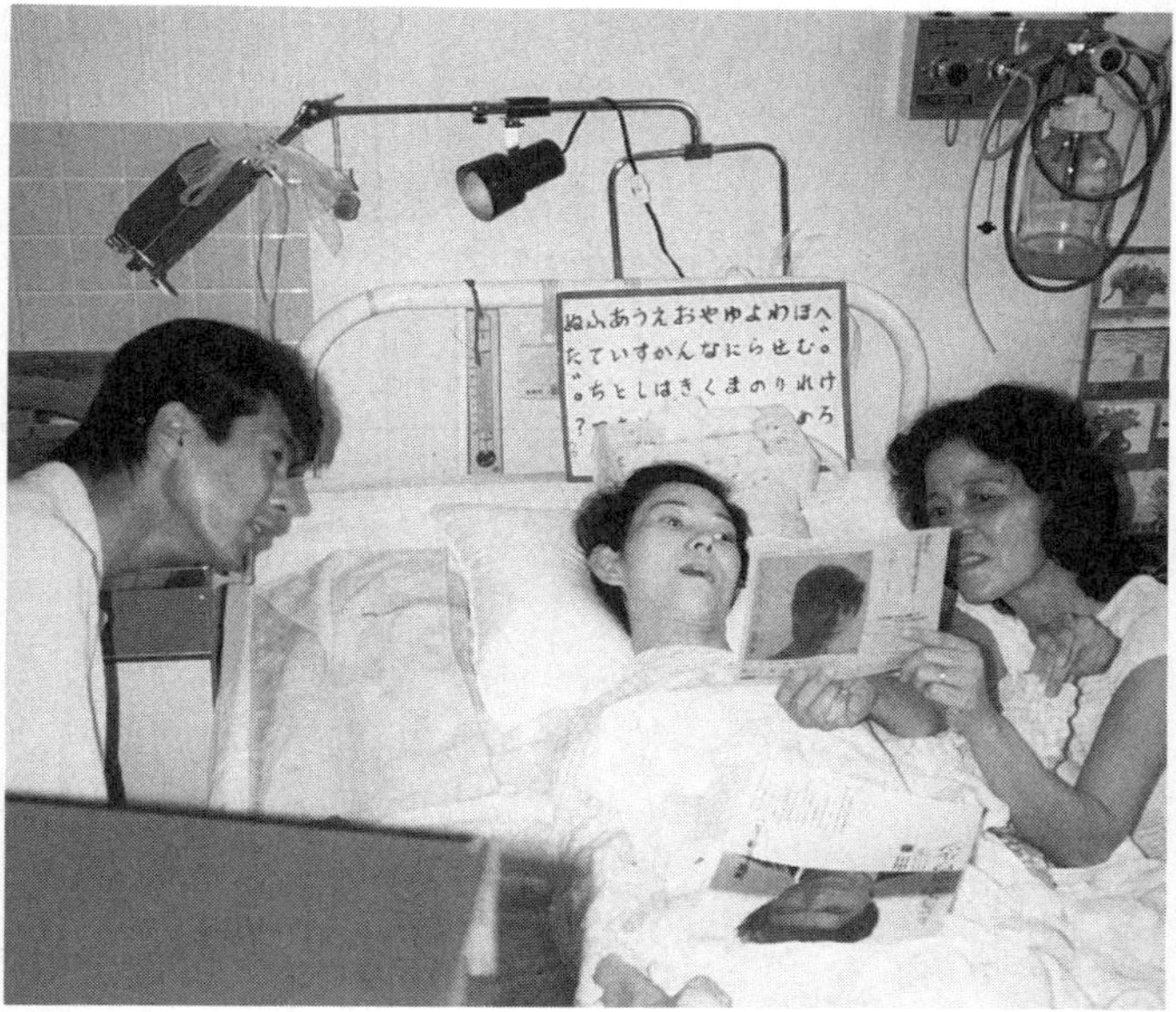

『1リットルの涙』の読者の一人として、歌手の山川豊さんがお見舞いに。
温かくやさしいその人柄が、亜也の心に穏やかさをもたらしてくれた。

荒木正人さん

ある日、私はラジオの番組に出演した。

東海ラジオの「アマチンのラジオにおまかせ」という番組である。

天野鎮雄《しずお》さんという障害者にとても理解のあるパーソナリティーと、森本曜子さんという優しいお姉さんがパートナーとなって、おしゃべりする。

毎朝十時から放送の人気番組である。

亜也の現在の状態、闘病中のことなど、本の中の言葉や文章を引用しながら当時の心境をアマチンさんたちと語った。

ある日、アマチンさんの番組を聴《き》いたという青年が病院へ訪ねてこられた。

愛知県渥美郡《あつみぐん》の自宅から豊橋市内の病院へ勤める歯科技工師だった。

それが荒木正人さんである。

書くことが大好きなのにそれができず、亜也ちゃんはきっと悔しい思いをしているだろう。文字盤で意思を伝えるにしてもそれは限られた人にしか伝えられない——。

荒木さんは、特技のパソコンを工夫して、亜也が使えるようないわばタイプライターとして使えるパソコンの製作をかって出てくれたのだった。

以前にも市販のワープロを買って挑戦したことがあったが、うまくいかず断念した。すでに手や指が思うように動かせず、握るだけがやっとだったからである。

荒木さんは、それから毎日、夜遅くまで自宅のパソコンに向かってプログラムを組んだ。病院にも何度か足を運んでくれた。パソコン仲間にも協力を求めたそうである。

荒木さんの善意にむくいることができるか、私は心配だった。

軽い羽毛布団でさえ亜也の体には負担がかかる。骨にあたり、赤く腫《は》れ、あわてて処置しなければならないほど弱っている。

一か月ほどして試作品が出来上がった。

そのパソコンは、片仮名と数字が次々と出てくる画面を見ながら、手元のスイッチを押して必要な文字を選ぶ。この操作を繰り返して文章を打つ仕組みである。

早速パソコンを準備し、使い方を教わった。

「オ、カ、ア、サ、ン」と打てた。

亜也は、口を大きく開けて喜んだ。

しかし、まもなく、このパソコンも使えなくなってしまった。
二、三文字を打つだけでぐったりしてしまう。
スイッチを押すだけの力が、すでになくなってしまったのだ。

そのパソコンは、ベッドの下におさめられてしまった。

せっかく努力して作って下さったのに、申し訳ない気持ちで一杯だった。

荒木さんに実状を話したが、「また良くなって使ってもらえたら……」とさっぱりした返事でうれしかった。

また、優しい人に巡り合った。

笠木透さん

映画も芝居もコンサートも、この十数年、見る暇も余裕もなかった。新聞の広告や街の看板で知る程度で山口百恵ちゃんから成長していなかった私は、笠木透《かさぎとおる》さんのことは全く知らなかった。

『1リットルの涙』が芝居となり、劇団四日市によって上演される時、そのテーマ・ソングを作詩・作曲されたのが笠木透さんだと聞かされた。

実際に自分で体験したり感じたりしなければ歌を作らない主義の笠木さんは、亜也と会ったこともなく、かなり困惑されたらしい。

それでも『1リットルの涙』を読んで、亜也の心をつかんで下さった。出来上がった曲は、亜也にぴったりだった。

「生きてゆこうよ」と「私は何のために生きているの」という二曲だった。

亜也と会うことなく曲は作られたが、笠木さんは、いつかきっと訪ねるからと約束してくださった。

一年の大半は全国各地でコンサートを開いているそうだ。

一年ほどたったある日、忙しいスケジュールをさいて、笠木さんは亜也との約束を果たしに来てくださることになった。

ドアに頭がつかえそうなほど背が高い。亜也がぶら下がってもびくともしないくらい頑丈な体格である。太い首、その上に日焼けしたまっ黒な顔がどしんとのっかっていた。

部屋がとたんに狭く感じる。

ギターをかかえた色白のやさしい目をした青年、増田さんも一緒だった。

亜也は、目を大きく見開いてキョロキョロ眺めていた。

「亜也ちゃん、こんにちは」

大柄な笠木さんは、よく響く低音で譜面を二枚、亜也に見せ、

「亜也ちゃんの本をしっかりと読んで、亜也ちゃんの心をつかみとって、亜也ちゃんになりかわって作った曲だよ、聞いて下さい」と、語りかけた。

ギターの増田さんがソファーの横に立ち、大きい笠木さんはベッドの横に立った。

お腹の底から響いてくるような、大きな声で歌って下さった。

「生きてゆこうよ」

詩・曲　笠木透

生きてゆこうよ
あの青い空を
思いっきり　胸いっぱい
吸いこんで

生きてゆこうよ
クール・ミンツの
さわやかな風が　頬を
なでていく

あなたの瞳に　流れる
白い雲
わたしの瞳にも
流れているでしょう

生きてゆこうよ
あの青い空へ
思いっきり　ジャンプして
飛んでいく

生きてゆこうよ
コバルト・ブルーの
ふんわり　羽衣《はごろも》に
つつまれて

あなたの瞳に　流れる
白い雲
わたしの瞳にも
流れているでしょう

「私は何のために生きているの」

私は何のために　生きているの
私は何のために　生きているの
ひとは生まれて　八ヶ月ですわり
一年もすれば　立って歩くのに

詩・曲　笠木透

歩いていた私は　這うようになり
立つことさえも　出来なくなった
私は何のために　生きているの
私は何のために　生きているの
ボールペンを握って　日記を書いた
書くことだけが　生きることだった
今では立つことも　書くことも
泣くことさえも　出来ない
私は何のために　生きているの
私は何のために　生きているの

それでも私は　私の心に
書き続けている　私の日記

私の生きた　日々のことを
それでもそれでも　生きていたいの

私は何のために　生きているの
私は何のために　生きているの

一節ずつ頭にきざみこむように、聞いている亜也の瞳に涙が光っている。

亜也の手を握りしめ、リズムをとって心を軽くしてやる。

「これが亜也ちゃんの歌です。おじさんと一緒に全国各地に旅してみんなを力づけたり励ましたりするんだよ。こんなに頑張っている女の子がいることを知ってもらうために歌って歩くからね」

やがて優しい励ましの言葉と明るい笑顔をのこして笠木さんたちは帰られた。

「亜也ちゃん、すごい迫力だったね」

大きな口をあけ、アーアーと笑っている。

亜也は、笠木さんの大きな体と大きな声にびっくりしたようだった。そしてあのたくましい肉体がちょっぴりうらやましかったのかもしれない。さわやかで健康なムードに、すがすがしさを感じ、亜也はとてもすっきりした顔をしていた。

人の縁とは不思議なものである。まだ岡崎養護学校で寮生活をしていたころ、音楽の好きだったS先生が自分でギターを弾《ひ》きながらフォーク・ソングを歌い、カセットテープに録音して亜也にプレゼントをしてくれたことがあった。

笠木さんが来て下さって一年くらいたったころ、そのテープを何げなく聞いていた知人がびっくりして電話をくれた。

なんとその中の何曲かは、笠木さんの歌だった。

「わが大地のうた」「私に人生と言えるものがあるなら」などだった。

何かひきつけ合うものがあったのかもしれない。神秘的な出会いでもあった。

旅立ち

ポケットベル

病状は、一段と深刻になった。

大好きな春の訪れる音にも、耳を傾ける元気がない。

校庭の柵からはみ出して咲いている桜の枝を一本失敬した。病室へ持ち帰り、亜也のホッペを花びらでくすぐった。うっすら目を開けるものの、見ようともしないですぐ閉じてしまう。

だらんと力の抜けた手をさすりながら、一時間も二時間も顔をながめ、目を開かないかと待ち続けた。

「亜也、亜也、亜也……」
二、三度呼んでみた。
「お母さんだよ」と頭をなでてやるが、感触で母だとわかるだけで、目は開いていてもうつろで、焦点が定まらなくなった。

ＩＶＨ（中心静脈栄養）も注射針を刺す血管を使い尽くしてもう刺すところがなく、点滴にかわった。

足の甲、下肢《かし》、腕と、白い肌に走る細く青い血管の周りは注射液が漏れて青や紫色の斑点《はんてん》ができた。痛々しかった。

看護婦さんも針を刺すのは、苦労な処置だった。

お見舞いに来て下さった友達や読者の方も、そっと寝顔を見るだけで帰って行かれた。

何も食べられなくなって数か月たった。

生命の極限でやっと動いている心臓。浅い呼吸。

長いまつ毛を閉じて亜也は静かに眠り続けている。気力も乏しくなっているようだ。

手を握っても、髪をなでても、声をかけても反応しない。

私は、一体何をしてやればいいのだろうか。いや、何ができるというのだろうか。

生命の灯は今にも消えてしまいそうになった。

亜也の寝顔を見ていると可哀想でならない。

哀れで、悲しくて、タオルをくわえて泣いた。

どうしていいかわからない。

今、私は何をしたらいいか教えてほしい。

子供の寝静まった深夜、私は泣きながら夫に迫った。

「十年前、いや五年前の気持ちにもどって頑張るんだ。今、亜也は懸命に闘っている。どんなに弱ったように見えても一服なんかしてないんだよ。決してあきらめてなんかいないよ。母親が不安定な気持ちになると亜也に伝わってしまう。いつものスマイルで頑張るんだ」

夫も父親としてつらかったろうが、私を励ましてくれた。

家族の誰もが無言のうちにも緊張しはじめた。各自の行動や所在をお互いに連絡し合い、遠出や外出も控えるようになった。

そのころ、私はポケットベルを用意した。

いつ、どんな時でも飛んで行けるように……。

嫁《とつ》ぐ日

昭和六十三年五月十九日。

この日の朝、洗濯したバスタオルやネグリジェを持って出勤前に病院へ寄った。

「おはよう」と声をかけたが、安らかに寝息をたてていた。

日中もウトウトしている時が多くなってきたが、苦しむこともなく、痛がることもない。だから、その日が迫っているもののさほど緊迫した状態ではないと思っていた。

しかし、食事も水も飲み込めなくなり点滴に頼るようになったころから、衰弱は相当すすんでいた。体力も気力もうすれ、いつまでこの状態が維持できるかと、次に起こる変化にそなえる気持ちを内心抱いていた。

夜中に、「お母さん、お母さん」と、亜也の呼ぶ声ではっと目を覚ました。

夢だったのか——。胸さわぎを覚え、そっと寝床を抜けだしパジャマのまま車を走らせた。

病室の窓の下に車を停め、三階の病室を見上げる。

首が痛くなるほど見上げていたが、電灯はつかなかった。

夢でよかった、と安心して帰る。

異変があれば連絡があるはずだし、家政婦さんが一緒にいてくれる。心配しなくていいことはわかっているのに、「お母さん」の声に、何度、深夜の道を病院へ走ったことか……。


その日も私は、勤め先の保健センターで人間ドックの受診結果の説明に忙しく働いていた。

午後二時ごろ、病院から電話が入った。

家政婦さんの声が震えている。

「亜也ちゃんの状態が急変したのですぐきて下さい！」

とうとう恐れていた日がやって来た。

自分に落ち着け落ち着け、といい聞かせ、

「おばさん、そばにいてやってね。すぐ行くから」と、支度もそこそこに車に飛び乗った。

（亜也ちゃん、お母さんすぐ行くから待っていなさいね。すぐ行くから……）

運転しながら、亜也に聞こえるように叫んでいた。

階段を三階まで走って上る。

シューシューと規則的な音がする。

人工呼吸器の音だ。

亜也は呼吸が止まっているんだ。

部屋に飛び込むと、主治医の市川先生と数人の看護婦さんで部屋の中は一杯だった。

開口器で開かれた口の中には太いホースが差し込まれ、人工呼吸器から空気が送り込まれている。

亜也はうす目を開けている。すでに顔色は蒼白《そうはく》と化している。

「お母さん、亜也ちゃんの呼吸が消えるように止まりました。少し自発呼吸が感じられますが浅いし不規則です。しばらくはこのまま様子をみましょう。若いので心臓が強く、脈はしっかりしていますから……」

市川先生はこれまでも亜也の病状や経過、治療内容、方針などについて忙しい中、時間をさいては細々と説明をして下さった。亜也や家族の意見にも耳を傾けてくれる。私は、市川先生の人間性に厚い信頼と尊敬を寄せていた。亜也も大好きだった。言葉で確かめ合わなくても、先生も私も、終わりが間近に迫ったことはわかっている。

「先生、最後のお願いです。意識はすでになくとも、そして、二度とよみがえらなくても、苦しむことや、痛がるような処置はしないで下さい。このまま安らかな顔で眠らせておいて下さい」

私は、そう市川先生にお願いした。

家政婦さんと二人で、ぼう然と亜也を見ていた。

「おばさんがいつも亜也から目を離さず見ていてくれたので、呼吸の止まった一瞬を見逃さなかった。それで先生をすぐに呼んでくれたから心臓が止まる前に手当てができたんです。本当にありがとう」

手をとり合って二人で泣いた。

長い間亜也と生活を共にしたおばさんは、もう他人ではなかった。

亜也には泣き顔は見せないで笑顔で接しているおばさんも、可哀想といっては陰で涙する。

親である私と同じ気持ちだったのだろう。ありがたいことだ。


亜也の自発呼吸は止まったが、心臓はリズミカルに動いている。

今にも目を覚ましそうだ。

「今日はずっと側にいるから安心してね。一度目を開けてごらん」

私は亜也の手を握り、体をさすった。

じっとしておれず、体のどこかに触れていなければ落ち着かなかった。

やがて勤務先から、夫も妹も弟も次々とかけつけてきた。

病室に入るなり、装備された痛ましい器具にヘナヘナとなった。

めた。

「亜也ちゃん、どうしたの！　どうなっちゃったの！」

後は涙で言葉にならなかった。

「呼吸は止まったけど脈はしっかり打っている。大丈夫だよ」

私がしっかりしなければと自分に言い聞かせ、冷静に状況を説明しようと懸命に努

亜也の見舞いに行きたいんだけどあの笑顔を見ると俺はもう泣けてしようがないんだ、かえって亜也を悲しませるのでどうしても行けないといっていた私の弟も、急を聞いてかけつけ、変わり果てた亜也を見て言葉もなくぼう然と立ちすくんでいた。

幼いころの、元気だった亜也の姿が目に焼きついている。僕の心の中の亜也は元気で飛びまわっている。だから病院へはつらくて行けなかったと述懐する甥《おい》。

父親、弟、妹、おじさん、おばさん、従妹《いとこ》たち……。こんなに大勢集まってくれたんだもの大きな目をパチッと開け、笑顔を見せて「なァーんだ。亜也ちゃん、おどかしたな！」って、びっくりさせておやりよ。

ベッドの横につるしてあるビニールの袋には一滴の尿も流れ落ちない。そして、手や足には浮腫《ふしゅ》（むくみ）がはじまり、尿毒症の兆《きざ》しが現われていた。

自発呼吸は、完全に消失してしまった。

亜也との別れが近づいてきたことを自分にいい聞かせる。


——生を受けて二十五年。短い人生の大半を病気と障害に悩まされつづけました。毎日がそれとの闘いで精一杯でしたね。

ご飯を食べるのも真剣でないと誤飲する。話すにも一生懸命に話さないとわかってもらえない。行動することすべてが不自由で苦しかったね。

何の障害もなく自由にできたのは考えたり想像したり、心の中で自分と話すことだけだった。

生命の極限にあることを知っていながらも自分を失わず、笑顔と優しい心を持ち続けていた亜也がまぶしくて、自慢の娘だったよ。

亜也はお母さんが産んだ大事な子供です。

助けてあげられないお母さんの非力を許してちょうだい。

亜也に先立たれる親の気持ちは身がよじれるほどつらく、悲しみで一杯です。鼻腔栄養を拒んだあの時、亜也は親離れして独立独歩を宣言したとお母さんは思いました。

亜也が一人で歩いて行くと、態度で示したと感じました。

だから、亜也の意志を尊重しました。

大人になったんだよとお母さんを安心させたかったんでしょう。とても立派な態度でしたよ。

これなら、お嫁に出しても心配ないと思いました。

もしお母さんとの別れが近づいているなら、きちんとあいさつをしてからお嫁に行ってね。

亜也にふさわしい門出にしてあげるから……。

そう思わなければ、お母さんはやりきれないよ——。

みんな長イスや駐車場の車の中で仮眠をとっている。

亜也と二人っきりになった深夜の病室で、私は亜也と語った。

翌朝、意を決して、夫に胸の内を打ちあけた。

「亜也はかろうじて命を保っているが尿毒症をおこしている。あと一日か二日しか残されていないと思う。普通ならば死が訪れてから送り出す準備をするだろう。だから、今、母親がそんなことを考えるのは他人からみればあきれ果て不謹慎となじられると思う。だけど私は、亜也をお嫁に出すんだときめたんです。きれいに咲いた花のじゅうたんにのって、好きな音楽を聴きながら静かに送られたいと、以前、亜也がいった言葉を覚えているの。だから、望み通りに送り出してやりたい。お嫁に出すなら準備をしてもいいでしょ」

そのお膳立てを親の手でやってあげたいと必死で頼んだ。

お花をいっぱい支度してほしい。

好きだったポール・モーリアのレコードを選んでおいて、などなど。

私の中に強い決意を感じた夫は、世間の常識からはみだした行動を共に受けてくれた。

そして、子供たちや親戚には、「亜也と約束したことがいろいろある。すべてかなえさせてやりたいから、おかしいことだと思っても、やりたいようにやらせてほしい」と、頼んでくれた。

結婚式の準備が夫の手で始まった。

亜也の心臓が動いている時に、父親が葬儀の準備をする。悲しいことにちがいない。

つらいことにちがいない。

会場を決め、花で飾る。

BGMで流す曲を選ぶ。

それは正《まさ》しく結婚式の準備だった。


血圧が下降しはじめ、心臓も力尽きたのだろうか、鼓動《こどう》は弱々しくなってきた。

枕元の愛用のラジカセからは、大好きなクラシック音楽が休まず流れている。

自発呼吸が停止してから四日後。五月二十三日午前〇時五十五分、心電図の波が一本の線になった。

大好きな家族、肉親、そして音楽に送られて、亜也は電話も通じない、手紙も届かない、遠い国へ、たった一人で旅立って行った。

いや、あわただしく嫁いで行ってしまった。
静かな、安らかな、厳粛な旅立ちだった。

亜也へ

亜也。
一人で歩いていますか。
一人でご飯が食べられますか。
大声で笑ったり、
お話ができていますか。
お母さんがそばにいなくても、
毎日ちゃんとやっていますか。
お母さんは、ただただ、
それだけが心配でたまりません。
亜也がいなくなって、
とてもさみしくてたまらないけど、
いつかいくから、待っててね。

亜也。
お母さん、日曜日に何をしていいかわからず、
うろうろしています。
急いで洗濯して買い物して、
病院へ行ってたペースがくずれてから、
ポッカリあいた空間がやりきれません。

写真の亜也は泣かないし、寂しい顔もしないで、
ニコニコ笑っているから、
せっぱ詰まった緊張感がない生活が身につかず、
困っています。

亜也に負けないぞ、
笑われないように、心配かけないように、

頑張らなくてはとただ気構えだけは、
十分もっているのに、
何をしても身が入らず忘れものをしているようで、
立ったり座ったり、
落ち着かなくて困っています。

亜也は好きな人ができて、
電話もない手紙も届かない、
遠いところへお嫁に行ったんだよね。
もう少しお母さんのそばにいてほしかったけど、
亜也の情熱には勝てなかった。

幸せにくらしているかなあ。
今ごろ何してるかなあ。
みんなと仲良く自由に遊びまわり、

おしゃべりし、
青春を楽しんでいるかなあ。

お母さんはそう思いたいの。
いやそう思っているから、
仏壇の位牌《いはい》にはどうしても手を合わせられないの。

亜也は行きっぱなしで親不孝じゃのう、と、
いつも写真に文句をいっているけど聞こえるかな。
笑顔の亜也は一番可愛いけれど、たまには泣き顔も見せてほしい。

亜也へ、お母さんへ

思えば長い壮絶な闘病生活だった。

不自由な体で高校へ通ったときも、養護学校へ転校し、自分の障害を認めなければならなくなったときも、また、病状が進み「何のために生きているのか」と苦しんだときも、亜也は、必死に生きようとしていた。

人の役に立ちたいと願っていた。

亜也の心の葛藤を思うと、娘の命を奪った病気がたまらなく憎い。

しかし、私には、亜也がこれほどまでに「生」に対する強い姿勢をもちつづけようとは、幼いころの泣きべそっ子の姿からは想像すらできなかった。

どこにあんな強靭《きょうじん》な精神力がひそんでいたのだろうか……。

私もそんな亜也に負けないように、どんなに低い治癒率であっても、わずかに残された生の確率に託していた。しかし、それにしても残念でならない。

亜也が頑張っているころ、私は亜也の日記の要所要所に「お母さん、ありがとう」の文字を見た。妻が、亜也と一緒になって病魔に立ち向かっていた証《あかし》である。

私は、そんな亜也と妻を後ろからそっと見守ることしかできなかった。

妻は仕事から帰ると家事をすませ、病院へ行った。疲れた体で家にもどり、手抜きしがちな他の子供たちとの会話も大切にしていた。

私も亜也と同様、「お母さん、ありがとう」と心の中でいったものだ。

一周忌を迎えるこのごろは、やっと当時のショックから立ち直ったようだ。本来のにぎやか好きで、ちょっぴりヤキモチやきの妻にもどりつつある。

少しずつだが、家庭に笑顔ももどってきた。

亜也を、そして私たち家族を力強く励ましつづけて下さった多くの方々に深く感謝申し上げます。

ありがとうございました。

木藤《きとう》　瑞生《みずお》

あとがき

「この世の生活は、試練のためにある」と聞いたことがある。

亜也が難病と闘い続けたこの十年間は、亜也はもちろん、私たち家族にとっても過酷なハードルの連続だった。

母としてたった一人で越えたハードル。家族と手をしっかり握り合って越えたハードルは、いつも悲しみでいっぱいだった。しかし、みんな涙をこらえて必死に耐えた。

亜也が命がけで越えるハードルは、だんだん高さを増してきたが、這《は》ってでも乗り越えようとする前向きの精神は、何としてでも生きていたいという気魄がこもっていた。

亜也に、限りある生命を悔いることなく精いっぱい生きてほしい。苦しみの中にも喜びや幸せを感じてほしいと、いつもやれるだけのことを精いっぱいやってきた。

これからもその姿勢を貫いて行くのが、十年の生活から得た生き方なのかもしれない。

だから、人から「大変でしたね。病気の子を抱えながらよく頑張ったね」といわれるほど苦労したという思いはない。

亜也の病状が進行するたびに何度、仕事を棄て、亜也に付き添ってやろうと思ったかしれない。

夫や家族に相談し退職を決心した時、亜也にそのことを告げた。

喜ぶと思っていた亜也の返事は、

「わたしだけのお母さんではない。大切な仕事をやめないで。それに、これ以上、可愛い妹や弟を犠牲にするのはやりきれない。

お母さんにはお母さんの人生がある。とてもうれしいけれど、今のままの方がいいの」だった。

障害という重い荷物に押しつぶされそうになっても自分の生きる道を求め、向上心を失わず、可能な機能に望みを抱き、役立つことはないかと願ってやまない不屈の心意気は、ともすれば意気消沈の私たち家族に勇気を与え、生きる姿勢を考えよと教えてくれた。

亜也の存在があったからこそ体験できた数多くのできごとは、妹や弟たちにも人生を考える貴重な体験になったと思う。亜也の生活態度は、健康な私たちが忘れている大切なことを気づかせてくれた。

亜也が頑張れば頑張るほどつらく苦しくなるのが親の悲しみであったが、何にもましてうれしいことは、子供からこんなに愛され信頼してもらえたという親の幸せを味わうことができたことである。

健康の維持・増進、病気の早期発見、早期治療を目的に人間ドックを行っている愛知県三河総合保健センターに勤務している私は、受診者の一人一人に健診結果の説明をする仕事を担当している。

長年の飲酒のために肝機能障害をおこしてしまった人、食事の不摂生《ふせっせい》から糖尿病の危険性のある人などと面談するのだが、自覚症状がないためか、生活習慣を改めようとしない人がいる。そんな時は、あせりと腹立たしさを覚える。

生きたくても生きられない人もいるのにどうしてもっと自分の命を大切にしないのだろう。何としてでもそのことに気づいてほしいと願う気持ちが、私を真剣な姿勢にさせてしまう。

センターで検査を終え、後日、「入院してきちんと治療します」とか、「きっぱりタバコをやめました」とか、「酒を断《た》ちました。家族の者が涙を流して喜んでくれました」などの電話を受けると、命の尊さに気づいてくれて本当によかったとほっとする。

そして、亜也は、無形の財産を私たちの心の中に沢山残して行ってくれたのだと思う。

人生の終わりを悟った後も、今を精いっぱい大切にし、

「お母さん、わたしがいなくなっても悲しまないでね。わたしの人生は、優しい愛に包まれ短かったけれど幸せでした。もっともっとしたいことが沢山あったけれど、みんなと一緒にいたかったけれど、これがわたしの運命だったんです」

最後の安らかな顔がそう語っているようだった。

生きていく上で何が大切なことかを教えてくれた亜也。これからの人生、彼女の分まで頑張らねばと自分を励ましている。

そして「亜也、ありがとう」と、感謝したい気持ちで一杯である。

亜也をいつも温かく見守りながら治療して下さった先生はじめ病院の方々、生活を共にしてくれた家政婦さん、そしていつまでも仲良くしてくれたお友達、手紙で励ましてくれた読者の皆様、私たち家族一同、「ありがとうございました」と、心から感謝しております。

木藤　潮香

平成元年四月

この作品は一九八九年五月エフエー出版より刊行されたものです。

いのちのハードル

「1リットルの涙《なみだ》」母《はは》の手記《しゅき》

木《き》藤《とう》潮《しお》香《か》

平成17年2月25日　初版発行
平成17年11月15日　10版発行

発行者——見城徹
発行所——株式会社幻冬舎
〒151-0051東京都渋谷区千駄ヶ谷4-9-7
電話　03(5411)6222(営業)
　　　03(5411)6211(編集)
振替00120-8-767643

印刷・製本—株式会社　光邦
装丁者——高橋雅之

幻冬舎文庫

ISBN4-344-40611-7　C0195　き-13-2